KB004750

쓰다듬고 싶은
모든 순간

스쳐 지나간 것들이 남긴 이야기

쓰다듬고 싶은 모든 순간

초판 1쇄 인쇄 2018년 1월 12일
초판 1쇄 발행 2018년 1월 19일

지은이 민미레터

기획편집 김소영
기획마케팅 최현준
디자인 Aleph Design

펴낸곳 빌리버튼
출판등록 제 2016-000166호
주소 서울 마포구 양화로11길 46(메트로서교센터) 5층 501호
전화 02-338-9271 | **팩스** 02-338-9272
메일 billy-button@naver.com

ISBN 979-11-88545-08-7 03810

· 책값은 뒤표지에 있습니다. 파본은 구입하신 서점에서 교환해 드립니다.
· 빌리버튼은 여러분의 소중한 이야기를 기다리고 있습니다.
  아이디어나 원고가 있으시면 언제든지 메일(billy-button@naver.com)로 보내주세요.

이 도서의 국립중앙도서관 출판예정도서목록(CIP)은 서지정보유통지원시스템 홈페이지(http://seoji.nl.go.kr)와
국가자료공동목록시스템(http://www.nl.go.kr/kolisnet)에서 이용하실 수 있습니다.(CIP제어번호:CIP2017035777)

스쳐 지나간 것들이 남긴 이야기

쓰다듬고 싶은 모든 순간

민미레터 쓰고 그리다

한때 그토록 찬란한 광채였건만
이제 눈앞에서 사라졌다한들 어떠랴.
다시는 돌이킬 수 없는 그 시간들.
초원의 빛이여.
꽃의 영광이여.
우리 더 이상 슬퍼하지 않으리,
오히려
그 뒤에 남겨진 것들에서 힘을 찾으리.

- 〈초원의 빛〉, 윌리엄 워즈워스

프롤로그

괜찮을 리 없다, 당신

다 괜찮다고, 곧 행복해질 거라고 달콤한 말을 쓰는 것은 어렵지 않다. 나도 희망과 위로에 대해 이야기하고 싶어서 그림을 그리고 글을 쓰기 시작했지만 무조건 괜찮다고, 잘될 거라고, 그리 쉽게 얘기하고 싶지 않다. 달콤한 위로를 건넬 만큼 스스로 단단하지도 못할뿐더러 타인의 슬픔과 상처에 함부로 '괜찮아'라고 말할 수 없기 때문이다.

괜찮을 리 없다, 당신.

많이 아플 거고 아직 다 흘리지 못한 눈물이 가득할 텐데.

다 괜찮으니 어서 웃으며 세상의 빛을 쬐자고, 손 끌고 나오는 일이 정말 위로가 될까. 솜사탕 같은 말이 순간을 달콤하게 해준다 해도 다시 혼자 들어앉아야 할 곳은 어둠인데.

환한 밖으로 이끌고 나오는 게 아니라, 어두운 방에 함께 쪼그려 앉아 슬픔을 마주하고 희망을 조심스레 그려 보는, 그런 위로가 되고 싶다.

'나도 어둠 속에 있었을 때 말이야.

이런 생각을 하니까 그래도 좀 견딜 만하더라.

슬픔에도 집중할 시간이 필요해, 충분히 더 울고 나가자.'

내 약한 마음을 먼저 꺼내 얘기하며 작은 공감을 주고 싶다. 당장 달콤하지 않더라도 곱씹다 보면 천천히 단물이 나오는 이야기. 그래서 시간이 좀 걸리더라도 당신이 스스로 걸어 나올 수 있도록. 괜찮지 않은 걸 괜찮다고 급히 넘기지 말자. 인스턴트 같이 쉬운 위로에 마음이 소비되지 않길 바란다.

2017년 겨울, 길게 호흡하며

민미레터

차례

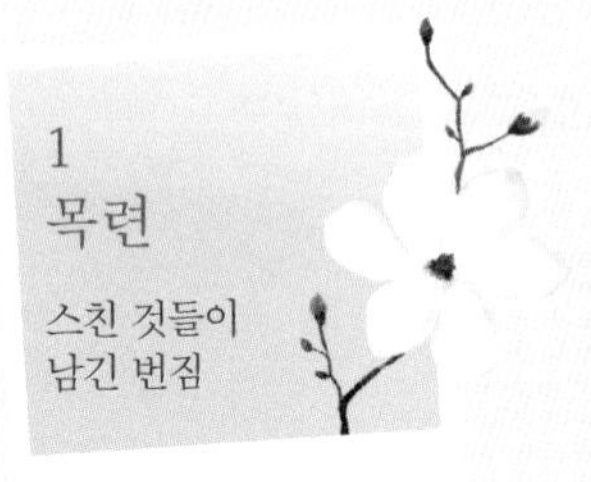

2
작약
사라져서 더 애틋한 순간들

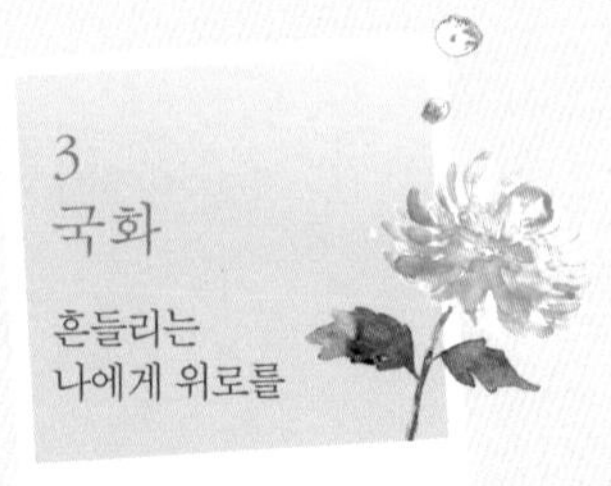
3
국화
흔들리는
나에게 위로를

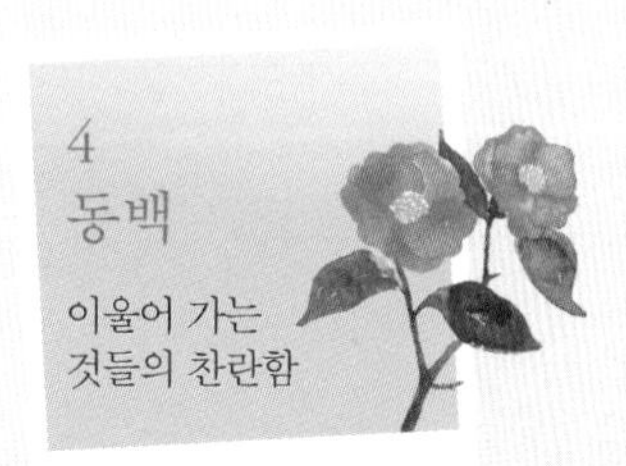
4
동백
이울어 가는
것들의 찬란함

1
목련

스친 것들이 남긴 번짐

그냥 지나 가세요

겨울에서 봄으로 넘어오던 때, 사군자를 배웠다. 빨간 매화꽃을 그릴 기대가 컸는데 나뭇가지 그리는 것부터 시간이 걸렸다. 물 농도를 여러 번 맞춰 보고 손끝을 세심하게 해 봐도 자꾸만 번지는 탓에 선 하나 긋기도 어려웠다. 여러 번 선을 망치던 내게 선생님께서 한마디 툭 던지셨다.

"그냥 지나가세요. 머물면 번져요."

선이 번지는 이유는 물 농도가 잘못되어서가 아니라 내 손이 망설였기 때문이란다. 어려웠다, 역시. 그냥 지나가기란. 지나쳐야 하는 순간을 지나가지 못하고 머무르는 탓에 남긴 번짐들이 떠올랐다.
어떤 번짐은 아름다운 문양으로 남기도 하겠지만 이렇게 선을 그어야 하는 명확한 일 안에서 생긴 번짐은 삶이란 화선지 위에 남긴 얼룩일 뿐이었다.
지나쳐야 하는 당신에게 선을 그으려 머뭇거리는 동안 번져버렸던 내 마음처럼. 혹은 오래전 과거의 시간에서 지나오지 못하고 여전히 머물러 있는 미련처럼.

망친 선으로 가득한 화선지를 구겨 버리고 새 화선지를 펴고 다시 붓을 잡았다. 까만 선을 긋는다. 지나간다. 그래야 다음으로 가는 것. 선이 그려지고 나뭇가지가 완성되고 꽃도 채워진다.

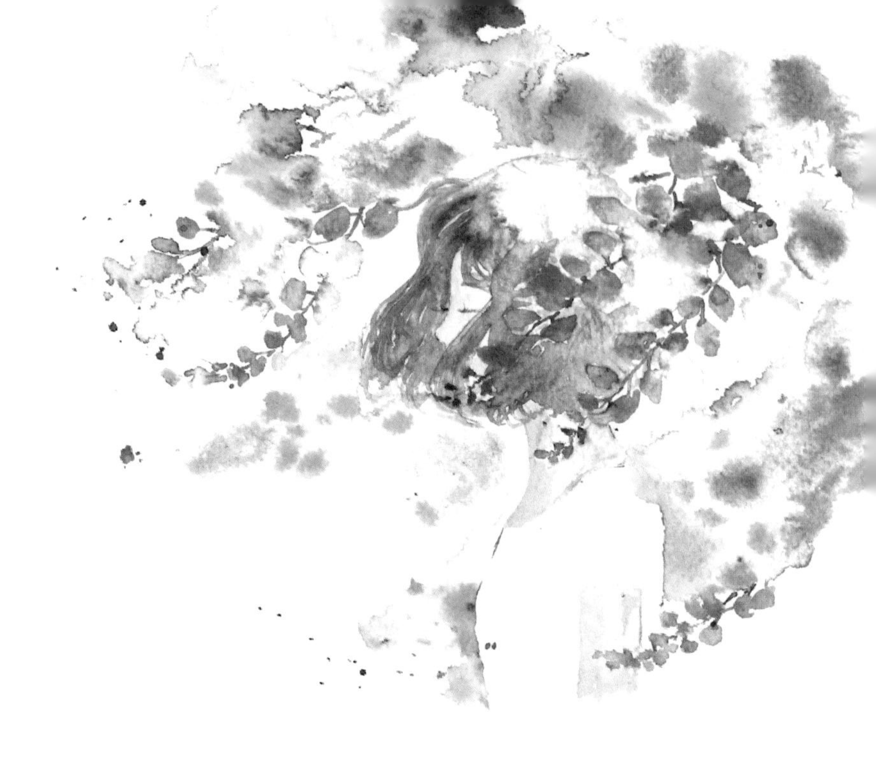

망설이지 않고 지나가면 되는 것이다.

이렇게 당신을, 과거를.

꽃이 일러주는 이야기

골목을 걷다가 빌라 뒤 회색 벽에 빛나는 것이 느껴졌다. 돌아보니 그곳에 꽃이 있었다. '돌아보니 그곳에 꽃', 표현이 마음에 든다. 건물 뒤라 어두운 공간이었는데 스포트라이트가 비치듯이 꽃에게만 햇빛이 내리고 있었다. 가까이 다가가 보니 작지만 단단하게 곧고, 생생하게 어여쁘다. 시멘트 바닥에서 용케 활짝 핀 꽃에서는 지나칠 수 없을 만큼 빛이 났다.

그 자리에 있어 빛나는 것이 있다.
넓은 화단에 있었다면 화려한 꽃들 사이에서 눈에 띄지 않았을 테고 테이블 위 꽃병에 있었다면 금세 시들었겠지, 아마.

나는 이 꽃이 여기서 어떻게 피어날 수 있었는지 안다. 뿌리 내릴 땅 한 뼘, 내게 향하는 한 줄기 햇빛에도 감사하며 자신의 영양분으로 오롯이 받아들였다. 가진 것이 적다고 불평하기보다 가진 것을 허투루 쓰지 않은 덕분이다. 뛰어난 화려함이나 멀리 가는 향기 없이도 지나가던 걸음 멈추게 만드니 절대 그가 가진 아름다움이 적지 않다.

나 또한 가진 것이 별로 없을 때 그나마 움켜쥔 것들로 연료를 삼았다. 당장 차비가 없어도, 배움을 멈춰야 할 때도, 걷는 걸 좋아하고 꿈이 있어 다행이라고 생각했다. 아무것도 없다고 생각할 때 주어진 것은 너무나 크고 소중해서, 어떻게든 그것을 쥐어 희망으로 만들 수 있었다.
지금은 그때에 비해 많은 걸 가졌다. 뿌리 내릴 수 있는 땅도 넓어졌고 햇빛도 충분하다.
그런데 그 간절했던 것들을 이제 시간과 함께 탕진한다. 땅 위치가 별로라고, 빛이 너무 눈부시다고 꽃 피우기 힘든 핑계를 만들어내기 바쁘다. 움켜쥐지 않아도 되니 희망을 만들어낼 노력도 없다. 더 많은 것을 쥐고도 더 생생하게 피는 것이 아니라 오히려 자처해서 시들고 있는지도 모르겠다.

어디에 서 있는지 분간하기 힘들 때, 발치에 있는 소박한 것이 일러주기도 한다. 그것들을 잘 관찰하는 일이 나를 관찰하는 일일지 모른다. 발치에 있던 꽃이 일러 주는 이야기를, 아직 들을 수 있어 다행이다.

바람이
불 때
알 수 있어

무엇이 더 중요한지 알 수 없을 때는 쥐고 있는 손을 느슨하게 풀어 보는 것도 방법이다. 둘 중에 분명히 손에서 먼저 스르르, 빠져나가는 것이 있을 테니까. 아주 살짝 힘을 빼도 내 손을 벗어나 버리는 것은 애초에 내 것이 아닌데 붙잡고 있던 것이다. 언제든 사라질 수 있는 신기루 같은 것.

바람을 후, 불었을 때 가벼운 것이 먼저 날아가고 무거운 것은 그 자리에 있듯이, 남아 있는 것이 내게 중요한 것이 된다.

큰 바람이 한 차례 불어왔고, 종잇장처럼 날아가기 바쁜 것들 중에 어떤 하나가 묵직하게 남았다.

이것이었다.

그동안 나를 지탱해주던 것.

마지막까지 남아 있을 진짜 내 것.

소란이
남긴
이야기

이렇게 붉은 봄밤, 누군가를 사랑한다면 그 마음 때문에
붉은 녹이 곳곳에 배어 있을 것 같다. - **《소란》, 박연준**

책을 보다가 캘리그라피로 예쁘게 써 보고 싶은 문장을 발견했어. 일단 종이 귀퉁이에 대강 적어 두고 펜을 바꾸기 위해

손을 올리는 찰나, 잉크병을 통째로 엎질러 버렸지 뭐야. 책상은 물론 카펫과 몸에 묻은 잉크 자국을 닦느라 난리도 아니었지. 아무리 닦아도 지워지지 않는 잉크 얼룩에 망연자실하며 '내가 그렇지 뭐, 어쩌다 이렇게 되었을까' 자책하다가 고개를 들어, 좀 전에 문장을 써두었던 종이를 다시 보았어. 쏟아진 잉크 번짐이 문장에서 말하는 녹처럼 배어 있더라.

마치 원래 이것을 위해 잉크가 엎질러진 것처럼, 우연치곤 꽤 근사한 모양새로. 아마 캘리그라피로 더 예쁘게 쓰고 그림을 정성껏 그려 넣었어도 이렇게 어울리게 하진 못했을 것 같아. 얼룩을 닦아내는 데만 집중하느라 얼룩이 준 다른 의미를 보지 못한 건 아닌가 싶어.

아직은 이해할 수 없겠지만 우리에게 일어난 소란에도 이유가 있지 않을까. 그래, 너무 미화하는 것 아니냐고 말할지도 몰라. 우리의 소란은 겨우 잉크가 아니라 삶이 엎질러질 뻔한 큰일들인데다 잉크 얼룩과 삶의 오점을 비교할 순 없을 테니까. 그래도 말이야. 삶은 때때로 짓궂었지만, 지나고 보면 결국 내 편인 적도 많았잖아.

분명히 우리에게 남겨야 할 이야기가 있어서 일어난 일들이라는 생각이 들어. 이 소란에서 우리가 들어야 할 이야기가 어떤 얼룩으로 남았는지 알아보는 것이 앞으로 할 일인 것 같아. 그러니 이제 고개를 들고 삶을 둘러보자.

봄 바 람.

불어오는 건 바람, 날리는 건 꽃잎
꽃잎은 흐드러지고, 마음은 흐트러지네.

봄바람에 날리지 않도록 붙잡아야 할 건
흩날리는 머리카락도, 옷깃도 아닌

마음.

좌절 이란 테스트

그즈음 닥친 시련은 마치 내 인생의 테스트 같았다. 그동안 마음이 좀 성숙해졌는지, 이제 순간의 감정보다 현실의 미래를 생각하는지, 타인보다 자신을 사랑하게 되었는지에 대한 테스트. 인생의 안정권에 들어선 뒤로 삶에 대해 좀 안다는 듯, 견고한 자아를 가졌다는 듯, 둥둥 떠 있던 자신감이 순식

간에 바닥에 내쳐지는 순간이었다.

지난 시련을 겪으며 성숙해졌다고 생각했는데 변한 건 없었다. 여전히 나는 순간의 감정에 발을 이끌고, 모호한 환상에 삶을 내던지는, 그래, 불나방 같은 습성이 그대로 남아 있어서 갑자기 들이닥친 테스트에 완벽하게 실패해 버렸다.

하지만 여전히 불완전하게 흔들릴 줄 아는 내 모습이 나쁘지만은 않다.
눈앞에 빛이 가득해서 내가 가진 건 온통 빛인 줄 알았는데 주저앉은 자리에서 돌아보니 빛은 등 뒤에, 내 앞엔 그림자가 길게 서 있다. 이쪽이 그동안 몰랐던, 아니 알면서도 외면하려고 했던 내 모습이었는지 모른다.

다시 뒤로 돌면 빛을 향할 수 있지만 이미 그림자를 본 지금, 내가 가진 어둠을 외면할 수 없다. 어느 쪽이 환상이고 실제인지, 선과 악인지, 진정한 나인지 깊이 생각해 보게 된다. 또

한 삶에 있어서 '확신'이라는 것이 얼마나 어리석은 것인지도 알았다.

아마 이것이 내가 다음 삶의 마디로 넘어가기 위해 필요한 선택이자 교훈이겠지.

양면의 나를 받아들이고 인정하는 것.

그리하여 진정한 내 모습으로 삶을 대하는 것.

눈부실수록
드리워지는
그림자

눈부신 날, 바닥에 일렁이거나 벽에 흐르는 나뭇잎의 그림자가 유독 눈에 담긴다. 날씨가 환할수록 더 진하게 드리우는 그림자는 어떤 것의 그늘이 아니라 독립적인 주체인 듯 선명하게 존재한다.

어둠에 집중하게 되는 것은 내가 서 있는 곳이 이토록 밝기 때문이 아닌가. 눈부신 빛은 그저 배경인듯, 보이질 않고, 어둡게 드리워진 그림자만 시선을 끄는 것처럼.

캄캄한 공간에 있던 때를 떠올려 보면 어둠 속에 들어온 한줄기 빛은 더 선명하다. 심지어 고작 한줄기 빛이 공간 전체를 밝히기도 했다.
내가 있는 곳이 캄캄한 어둠 속이 아니라, 어쩌면 빛 한가운데일지도 모른다. 대비적으로 더 눈에 띄는 어둠에 집중하기 때문에, 나는 불행하다고 느끼는 것이 아닐까.
처한 상황이나 소유한 것에 만족도가 비례하지 않는 이유도 여기에 있을지 모른다.

어둠을 밝히는 한줄기 빛이 아름답듯, 눈부신 빛 가운데 드리워진 어둠도 아름답다. 초여름, 담벼락에 그려진 나뭇잎 그림자를 슬픔이 아니라 아름다움으로 느끼는 것처럼.

'네가 있는 곳이 너무 밝아 티 나지 않을 뿐, 너는 충분히 빛나고 있어.'

꽃
자
리。

등 돌리고 애써 멀어져 간 시간들
진흙 위를 걸었던 발자국은
길이 되어 꽃 피는 화폭을 그리네.

나는
나를
잘 알고 있을까

금요일 오후, 친구와 조용한 연희동을 걸었다. 먹먹한 하늘은 금방이라도 비를 뿌릴 것 같았다. 그렇지만 온종일 흐릴 뿐 비가 오진 않았다.

친구는 언제부턴가 이런 날씨가 좋아졌다고 했다. 해가 없어 눈부시지 않고 서늘한 바람이 불어 덥지도 춥지도 않아서 좋다고 했다. 나는 흐린 날의 외출을 별로 좋아하지 않는데 그 얘기를 들으니 좋은 것도 같았다. 실로 걷기 편한 날씨였다. 그러고 보니 나는 언제부터 흐린 날을 안 좋아했지. 이유는 뭐였지, 생각해 보니 기억이 나지 않는다.

우리는 만나자마자 책을 교환했는데 친구는 내게 소설책을, 나는 친구에게 산문집을 건넸다. 친구는 이야기에 빠져 책에 온전히 집중할 수 있어서 소설이 좋다고 했다. 나는 소설보다 산문집이 더 좋다고 말하려다 그 이유가 또 생각나지 않았다. 소설을 그만큼 읽어 보지도 않고서 '나는 소설은 안 맞아' 하고 선을 그었는지도 모르겠다.

사실 화창하게 맑은 날보다 흐린 날이 더 좋았던 적도 분명 있고, 읽은 소설이 영화로 나왔을 때 반가워한 적도 있다. '흐린 날을 안 좋아하고, 소설은 나랑 안 맞아'라는 것도 나에게 가진 습관적인 편견 아닐까.

지난 몇 달간, 정말 좋아하는 줄 알았던 것들에 싫증이 나기도 하고 '나는 절대 그럴 일 없어' 했던 일들을 저지르면서 내가 알고 있던 내 모습에서 자꾸만 어긋났다. 그런 과정에서 '이건 나답지 않다'하며 자책하고 '이전의 나는 거짓이었을까' 하는 의심도 들었다.
그런데 싫증을 낸 것도 어긋난 모습도 다 나다. 원래 그랬는데 그동안 몰랐거나 혹은 변했거나. 그렇게 받아들이니 '내가 알던 나'와 달라도 나를 미워하지 않고 다양한 방향에서 생각을 하며 새로운 시도도 해 볼 수 있었다. 좋은 점도 바로 나타났다. 못할 거라고 생각한 걸 해내기도 하고, 어울리지 않을 거라 생각했던 단정한 스타일이 내 것처럼 어울리기도 했다.

'내가 정한 나'에 갇히지 않기로 했다.
오늘은 날이 흐려서 좋았어. 그리고 이번 주에는 소설을 읽어야지. 수채화 대신 아크릴화도 그려 보자.

소소한
것들이
채우는 일상

짧아진 머리칼에 부는 바람이 다정했던 오늘. 오전부터 좋아하는 카페에서 밀린 원고를 쓰다가 사군자 수업에 조금 늦게 도착해 가까스로 홍매화를 완성했다.

수업을 마친 후, 선생님이 데려간 맛집에서 양갈비와 생맥주로 배를 채우고 낮보다 짓궂어진 바람을 쐬며 시 수업이 열리는 출판콘텐츠센터로 부지런히 발길을 옮겼다. 예전부터 좋아한 이정하 시인의 귀한 이야기들을 받아 적고 사람들과 낭독하고 웃다 보니 시간이 금방 흘러 다음 주를 기약하고 좋아하는 노래 들으며 집으로 가는 길.

하루가 이렇게 좋아하는 것들로 가득 차 있는데 최근의 나는, 무엇이 그토록 힘들었던 걸까. 30대의 내가 보낸 이 하루는, 20대의 내가 넘어지고 노력하며 만든 결실이다.
일상이 흔들리고서야 깨달았다. 살갗에 닿는 귀한 것들을 느끼지 못했다. 아니, 너무 작아 시시하다고 여겼을지 모른다. 정작 이 소소한 것들이 내 삶을 채우는 것들인데.

이제 나부터 좀 행복해져야겠다. 온몸으로 부딪혀 만든 일상을 시시하다 했으니 과거의 나에게도 사과할 거고.
예상보다 빨리 괜찮아질 것 같다. 저 화사한 빛을 외면하지 말고 소중한 일상을 누려야겠다.

그저 바라보는 일

—

햇살에 반짝이는 나무를 올려다보다, 거미줄이 눈에 들어왔다. 여러 색깔이 동시에 느껴져 묘했다. 자주색과 푸른색은 상반되는 색인데 그 두어 가지가 한 번에 보였으니. 하긴 이런 빛까지 색깔로 정의할 수 있을까. 여전히 아름다운 것들을 표현할 길이 없다. 게다가 그것들은 계속 움직이다가 기어이 사라지는 법이라 내가 적당한 표현을 찾을 때까지 기다려 주지 않는다.

마음이 급해 허둥지둥 단어를 짓다가 그냥 가만히 바라보았다. 아름다운 것은 온 감각을 깨우며 나를 감싼다. 빛은 내 흰 원피스에 얼룩을 남기고, 바람은 머리를 헝클어뜨리고 치마 속을 헤집기도 한다. 하지만 어느 것 하나 머물지 않으니 내 것이라 부를 수 있는 것은 없다. 저 높은 곳에서 오색실처럼 빛나는 거미줄이 손에 들어오는 순간, 그저 끈적끈적한 그물이 되는 것처럼.
이 순간, 이것들을 잠시 향유하는 것만으로도 만족하는 마음을 배워야 한다.

그냥
흘러가는
거야

베트남 여행에서 베트남의 전통모자인 '농'을 쓰고 다녔다. 쨍한 햇빛을 가려 주면서도 현지 분위기를 한껏 낼 수 있어서 사진을 남기기에도 좋았다. 그 다음 날에도 농을 쓰고 바다로 갔는데, 그리 세지도 않은 바닷바람에 농이 휙 날아가, 손이 안 닿는 바다 위로 떨어져 버렸다. 어차피 2천 원 돈도

안 할 만큼 저렴한데다 돌아가는 비행기에서 불편할 테니 마지막 날에 버리고 갈까 생각도 했었다. 하지만 그렇다 하더라도 내 의지와 상관없이 버려지는 것은 아쉬웠다. 방금까지 내 것이었던 것이 한순간에 나를 떠난 거니까. 그렇다고 바다에 뛰어들어 건져 올 수도 없으니 어쩔 수 없는 일이었다. 그래, 어쩔 수 없는 일.

아쉬움을 뒤로 한 채, 하루를 보내고 숙소로 돌아와 그날의 사진을 구경했다. 최근 시간부터 저녁-낮-아침 거꾸로 된 순서로 사진을 넘기다가 오늘 아침 바닷가에서 농을 쓴 내 사진을 보고 멈칫했다. 이 사진을 찍을 땐 알지 못했다. 농이 바다로 날아갈 줄은. 농을 쓰고 찍은 마지막 사진이 되어 버릴 줄은. 아무리 소소한 물건이라고 해도 '마지막'이 붙으면 못내 아쉽다.

나는 테라스로 나가 바다를 바라보았다. 잔잔한 바다 위에 바가지 같은 것이 떠다니는 것이 보였다. 아침에 날아간 내 농이 분명했다. 반나절이 넘었는데도 떨어진 그 자리에서 맴돌고 있던 것이다. 눈앞에 보이니 아쉬움이 더했다. 흘러가지도 않고 그렇다고 머물러 있는 것도 아닌 것들이 떠올랐다. 잡지도 못 하는데 미련만 남게 하는 것. 사람, 혹은 어떤 시간, 기회 같은 것들.

그날 밤, 우리는 잃어버린 인연에 대해 이야기했다.
하지만 그건 어쩔 수 없는 일이라고 서로를 위로했다. 내 곁에 맴돌지 않는 것을 누구의 탓으로 돌릴 수 없을뿐더러, 억지로 잡아 둘 수도 없고 그건 그냥 흐르는 일과 같은 것이라고. 농의 끈을 세게 묶지 않은 내 탓도, 바닷바람의 탓도 아니라 그냥 거기까지가 마지막인 것처럼.

'나'라는 세계로 흘러 들어오는 것도 있고 흘러가 버리는 것도 있다. 무엇을 얻고 잃는 것이 지극히 자연스러운 순환일 것이다. 나 역시 누군가의 세계로 흘러갔다 나오길 반복하며 허무함을 남겼을 것이다.

그렇게 이야기했지만 마음 어딘가 쓸쓸하다. 오랫동안 혼란스러웠던 마음이 안쓰럽다. 흘러가는 걸 지켜보는 것 외엔 달리 방도가 없을까. 결국 어쩔 수 없음을 인정하는 것이 어른인 걸까.

다음 날 아침, 일어나자마자 바다를 바라보았다. 농은 없었다.

밤새 흘러가 버린 것이다.

나의 세계에서.

마음
범람。

강물이 범람하면

마을이 피해를 입듯

마음이 범람하면

피해를 입힌다.

상대에게도,

내 자신에게도.

자전거를

타고

달려 나가면서

모든 그림자가 뒤를 향해 눕는 그때, 꽃가루가 눈에 들어갔는지 눈물이 차올랐다. 시야가 조금 흐릿해졌지만 앞을 보는 데는 문제없었다. 눈을 뜰 수 있고 페달을 밟을 수 있어 흐르는 눈물을 뒤로 보낼 수 있었다. 돌아보지 않고 달아날 수 있었다. 그렇게 지나가면 되는 것이다.

비워 내는 연습

날이 더운 오늘, 가만히 집을 둘러보니 너무 많은 것들이 눈에 들어온다. 테이블 위에 아무렇게나 쌓인 책과 노트, 필기구들은 마음을 바쁘게 만들고, 틈 없이 채워진 옷장은 맛집 앞에 늘어선 줄처럼 숨이 턱 막힌다.

전시품이 되어 버린 커피잔들과 언제부터 있었는지도 모를

티백들, 화장대 위 사용하지 않는 화장품들은 비석마냥 서 있다. 신발장의 신발들은 칸칸이 폐역이 되어 운행을 멈춘 기차처럼 쓸모없이 놓여 있다. 서랍을 열면 쓰일 순서를 기다리는 생필품들이 줄을 서서 나를 재촉한다. 냉장고는 말하고 싶지도 않다. 평소에 물건을 많이 사거나 쟁여 놓는 스타일이 아닌데도 둘러보면 뭐가 이렇게 많은지.

너무 많은 건, 물건뿐이 아니다. 너무 많은 말들, 너무 많은 의미, 너무 많은 그리움이나 너무 많은 화, 너무 많은 기억들.
아무렇게나 빽빽하게 채워진 서랍 안을 보는데 내 마음속을 보는 것 같다. 비워 내는 일 없이 계속해서 채워진다. 이토록 많은 것들에 둘러싸여 있어도 우리는 마음이 공허하다.

창문을 활짝 열고 정리를 시작했다. 언젠가 쓸지도 몰라서, 버리자니 아까워서, 추억이 담겨서 따위의 이유는 과감하게 무시하기로 했다.
내게 필요한 것과 아닌 것, 내 것이 될 것과 함께 있었지만 결국 내 것이 아닌 것을 구분하며 비워 내는 일만으로도 시간이 꽤 오래 걸렸다. 비우는 것이 훨씬 힘들 줄 알았더라면 선불리 채우지 않았을 텐데. 한꺼번에 다 하려다가 지쳐서 그만둘까봐 내일, 모레, 그 다음 날, 그리고 그 다음 다음 날, 꾸준히 비우기로 했다.

내 의지로 필요하지 않은 것들을 줄여 가니 그제야 비로소 공간의 주인이 되는 것 같았다.
마음도 마찬가지겠지. 너무 많은 감정에 짓눌리고 쌓아 두면 내 마음이 내 것이 아닌 게 되니까. 오늘 방 한 칸 비워 낸 것처럼 오늘은 마음에 쌓인 고민 하나, 내일은 그리움 하나, 모레는 기억 하나, 그렇게 하나씩 비워 가면 마음에 내 자리도 생기겠지.

도둑 심보

집으로 가는 버스에 올라타 가방 안을 들여다보니, 맙소사! 내 것이 아닌 책이 들어 있었다. 낮에 약속시간이 남아 잠시 들렀던 북카페에서 보던 책이었다. 시간을 때우는 동안 대강 훑어보려고 했는데 문장 하나하나 마음에 콕 콕 박혀서 집중해서 읽게 되었고, 급하게 자리를 정돈하다가 가방 안에 넣은 채로 나온 것이다. 어쩐지 돌아다니는 내내 가방이 무거웠다. CCTV에 찍혔을지도 모르고, 입구에 있던 경보음이 울렸을 수도 있겠다고 생각하니까 마음이 움츠러들었다.
카페를 나올 때 허둥지둥 뛰어나왔는데 그 모습이 더 의심스러울지도 몰라. 당장에 책을 돌려주고 와야 마음이 편할 것 같았지만 밤 10시가 넘은 시간이라 내일 오전에 일찍 들르기로 했다.

아무리 내 마음에 쏙 들어도, 그것은 내 것이 아니다. 가방 안에 넣은 것이 고의가 아닌 실수였다고 해도 돌려주지 않으면 그건 결국 훔친 셈, 도둑이 되는 것이다.

내 것이 아닌 무언가가 내 안에 들어온 줄 알면서도, 붙잡고 있는 것들이 있다. 처음에는 실수였는데, 잠깐만 가지고 있으려고 했는데, 버려야 할 줄 알면서도 어떻게 버릴지 몰라 가지고 있는 것. 내내 거슬리는 찌꺼기 같은 감정들, 어떤 욕심 혹은 사람. 내가 가진 무언가가 자꾸만 마음속에서 부스럭부

스럭, 거슬린다면 그건 내 것이 아닌 이유에서 오는 불편함일 것이다.

놓아버려야 한다.
나를 불편하게 만드는, 내 것이 아닌 것들은.

텅
비어서
꽉 차는 일

조금의 여백도 불안해서 채우는 데만 급급하던 적이 있다. 이미 '8' 정도 채워진 것들은 잊고 작은 여백인 '2'에만 온 신경을 쏟았다. 빈 공간 없이 모두 채워져야만 완벽하다고 생각했다.

기어이 작은 여백까지 꾸역꾸역 채운 순간에 모든 것이 무너졌다. 무너져 내리는 것을 보면서 그제야 깨달았다. 그 여백은 비어 있는 것이 아니라 채워진 것들이 호흡하는 틈이었다는 것을. 채워지지 않은 여백에만 신경 쓰다가는 모든 것을 잃을 수 있다는 것을.

시간이 흐르고 다시 작은 무언가가 채워졌다. 텅 빈 상태에서 '2' 정도 채워진 것이 기쁘고 감사했다. '8'의 여백은 생각도 못할 만큼 '2'로도 꽉 차는 기분이 들 만큼 소중했다.

텅 비어서 꽉 차는 일도 있다.

아름다운

것들은

모두

번져 있잖아요 。

노을, 빛, 시와 수채화, 노래,

이를테면 마음 같은 것.

반 짝
여 줘

흐린 날의 바다에는 하늘과 바다, 그 사이를 어렴풋이 분간할 수 있는 수평선밖에 보이지 않았다. 마치 수평선 너머에 아무것도 없는 것처럼.

안개가 걷히고 빛이 드리우자, 수평선 끝으로 커다란 산이 모습을 드러냈다. 한없이 펼쳐진 바다인 줄 알았는데 산에 둘러 싸인 호수였다. 저리 크게 둘러싼 산들이 어떻게 한꺼번에 가려질 수 있었을까. 내 눈에 보이지 않는 곳에 존재하는 것들이 이렇게나 광활했다.

그렇게 생각하니 마음이 좀 놓인다. 가려진 곳에서도 숨 쉬고, 반짝이고, 흐르고 있다는 것이.

그것은, 내게서 사라진 것들이 없어져버린 게 아니라 어딘가에 그대로 존재하고 있다고 말해 주는 것 같았다.

그러면 앞으로도 잃어가는 것들이 다만 내 시야를 벗어난 것뿐이라고 생각해도 된다.

여전히 어딘가에서 반짝거리며 숨 쉬고 있다고.

그런 생각만으로도 위안이 되었다.

계절에게 인사를

가는 봄에게 작별 인사

있잖아,

마음이 어수선할 때 네가 덜컥 나타나서 언제부터 있었는지도 알지 못했어. 어느 순간 눈물을 닦고 고개를 드니 사방이 너로 가득했어. 주위는 온통 꽃으로 화사하고, 다정한 바람과 빛이 나를 어루만졌지.

덕분에 내 눈엔 눈물 대신 빛으로 채워지고 한 걸음씩 네게로 나아갈 수 있었어. 모든 계절 동안 기다렸던 너라서 너와 하고 싶은 것들이 막 떠올랐어.

창문을 활짝 연 테라스에서 책을 보거나 돗자리를 깔고 피크닉을 즐긴다든지 꽃길 옆을 자전거를 타고 달리는… 봄과 어울리는 가장 환한 미소를 보여 주고 싶었지.

너는 벌써 떠나려나 봐. 조금씩 더워지는 공기가, 너와의 시간이 얼마 남지 않았다는 걸 알려 주고 있어.
남들은 또 돌아오는 게 계절이라고 하지만 나에겐 안 그래. 이제껏 똑같이 돌아오는 계절은 단 한 번도 없었어. 돌아오는 게 아니라 보내는 거야. 그래서 매해 이별이지.

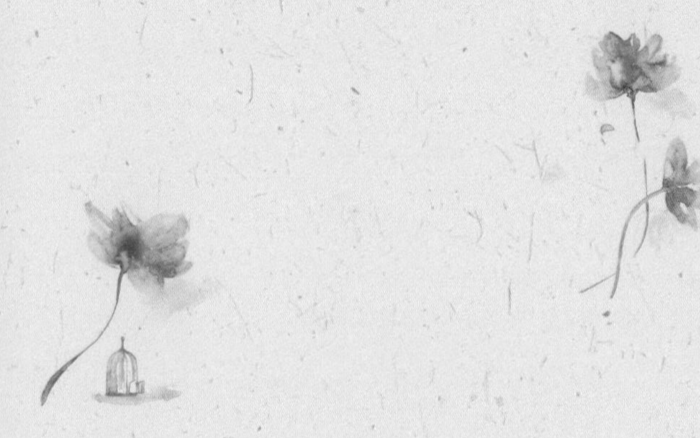

이렇게 보내기 너무 아쉬운데 뭘 해야 할까 생각하면 마음만 급해.

금세 떠날 줄 알면서도 영원히 지속될 것처럼 지내고서, 헤어짐이 눈앞에 닥쳐서야 꼭 이렇게 후회해. 여전히 무언가 보낼 때 구질구질 할 말이 많아. 아직 너와 있는데 보낼 생각 하니 벌써 보고 싶어. 나는 네가 왜 이렇게 아까울까. 마중하고 있었어야 했는데 너무 늦게 알아차려서, 허무하게 보내서 미안해. 잠시 동안 나를 어루만져 줘서 고마워.

잘 가,

나의 봄아.

2
작약

사라져서 더 애틋한 순간들

그건
청춘
이었네

눈앞에 빛들이 팔랑대서 눈도 제대로 못 뜨고, 이 시간이 어서 지나가길, 흘려보낸 날들. 그때가 청춘의 한가운데였지. 이제 내 눈앞에서 팔랑이지 않는 그 빛, 멀리서 바라보니 그 아름다움이 보인다.

공기의 맛。

영원처럼 호흡하는, 순간의 공기가 있다.

형상, 냄새, 소리, 촉감을 잊고서도 가장 마지막까지 남는 기억.

공기.

강렬했던 순간의 공기는

시간의 흐름과 상관없이 남아 있다가

어느 날,

쉬이 피어나고

그때의 그 순간으로 나를 데려다 놓는다.

마음의 계절

매화 사진을 보다가 사진을 찍은 게 불과 몇 주 전이라는 사실에 좀 놀랐다. 꽃샘추위 속에 붉게 핀 매화를 보고 '이제 봄이 오는구나' 했는데, 그새 매화가 피고 지고 벚꽃이 피고 졌다. 그 다음엔 목련이, 찔레꽃이, 라일락이 그랬고 이제 빨간 장미가 온 골목길을 덮고 있다.

시간이 점점 더 빨리 가는 느낌이 든다. 언제부턴가 계절이 바뀌는 속도에 발맞추는 일도 버겁다. 나는 이제 막 한겨울에 언 마음을 녹이고 있는데 계절은 벌써 봄을 지나 여름 장미를 붉게 피운다거나, 나는 아직 뜨거운 한여름인데 계절은 벌써 차가운 칼바람 부는 한겨울이거나.

우리에게 오고 가는 계절은 같으므로 모두 같은 계절 속에 살고 있다고 생각했다. 그런데 저마다 다른 계절을 지내고 있는지도 모르겠다. 내 마음은 봄과 여름 사이에서 활짝 꽃 피우는데, 당신의 마음은 벌써 겨울을 향해 가는 것처럼. 계절의 속도에 맞추는 일만큼 누군가와 마음의 속도를 맞추는 일도 어렵다.

계절처럼 정확하고 성실하지 못한 탓이다. 녹이고, 피우고, 시들고, 사라지는 속도를 맞춰야 하는데 피우는 일은 너무 성급했고 사라지는 일 앞에선 게으르게 주저앉아 있다.

지금은 봄이다. 아니 여름인가. 봄에서 여름으로 넘어가는 그 어디쯤에서, 겨울에서 봄으로 넘어오던 그 어디쯤의 마음으로 웃지도 울지도 못하고 멍하니 있다. 계절의 속도보다 느려진 나는 타이밍을 맞출 궁리를 할 뿐이다.

우리의
시간이
꽃잎이라면

봄이구나, 깨닫는 순간에 이미 지고 있는 꽃.

우리의 시간이 꽃잎이라면

우리의 매일이 한 장 한 장 떨어지는 것이 눈에 보인다면,

매순간 진심을 전하려 애쓸 텐데.

숨기거나 돌려 말할 시간이 우리에게 없으니
두 번 다시 전하지 못할 마음을 이야기하고,
모든 순간을 끌어안듯이
애틋하고 사랑스럽게 오래 응시하겠지
꽃나무 아래,
마지막 인사를 나누는 사람처럼.

하지만 아무것도 전하지 못한 채,
창밖의 꽃이 지는 것만 아쉬워하고.

자목련

자목련을 보면 마음이 괜히 아리다. 길고 둥글게 늘어뜨린 붉은 꽃잎은 마치 커다란 혀를 연상시킨다. 점점 커지는 혀는 무게를 견디지 못하고 떨어진다. 떨어지는 순간에도 꽃잎이라고 하기엔 어딘가 무겁고 엉거주춤하게, 마지막까지 미련을 내비친다.

그걸 보고 있자니 언젠가 당신이, 마지막으로 할 말 있느냐고 물었던 적이 떠오른다. 입을 여는 순간, 수많은 단어들이 토하듯 쏟아져 나올 것 같아 혀 아래 꾹꾹 눌렀던 그때. 무게를 견디지 못해 추락하는 자목련 꽃잎처럼 나도 숨겨둔 말의 무게에 휘청이던 때가 있었다.

바다에 널브러진 꽃잎들이 발에 밟힌다.
당신에게 전하지 못한 말들이 마음에 밟힌다.

기억을
갖게 되는 건
그리움을 남기는 것

여행을 다녀오면 꼭 며칠씩 앓아눕는다. 하루 종일 꽉 찬 스케줄을 해내는 것도 아니고 적당히 걷고 쉬면서 느린 여행을 하는 편인데도 다녀온 후에는 꼭 다녀온 기간 이상을 드러누워 골골 앓았다.

지구의 반대편으로 다녀오던 가까운 국내로 다녀오던, 앓는 일수는 달라도 정도는 비슷했다. 왜 그런가 하니, 모든 감각을 세우고 관찰하는 것에 집중하는 탓이었다. 그래서 여행이 끝난 후 방전되듯 몸살이 나는 것 같다. 공원에 가만히 앉아 있더라도 시선 닿는 것마다 눈에 꾹꾹 눌러 담기 바쁘고 들리는 소리를 줍는다. 낯선 사람들의 움직임과 미소를 관찰하고, 스치는 바람에서 느껴지는 냄새를 붙잡는다. 조금 더 많이 기억하고 싶어서.

누군가와 보낸 시간 또한 그랬다. 함께한 날들보다 더 많은 날들을 앓았다. 빠져나오는 데 너무 오래 걸렸다. 가만히 앉아 있을 때도 나는 그를 조금이라도 더 많이 담고 싶고 알고 싶어서 모든 감각을 곤두세웠다. 그의 한숨 쉬는 소리, 물 마시는 목 넘김 소리가 천둥처럼 크게 들렸고, 쉬이 뱉은 말들도 마음 한가득 울려 퍼졌다. 함께 있던 공간의 공기나 색감도 떠올릴 수 있을 만큼 모든 걸 담으려 했다. 그래서 나를 보는 눈빛의 반짝임이 꺼져 가는 것도, 식어 가는 말투도 세심하게 느낄 수 있었다.

모든 것이 끝난 뒤에도 오래 앓았던 건, 기억하려고 애쓴 것들이 너무 많은 탓이다. 관심을 가지고 관찰한다는 건 세세하게 기억하는 부분이 많아지는 것이고 기억을 많이 갖게 되는 건 그만큼 그리워할 것도 많아진다는 것을 이제 안다.

각자의 방법으로 행복하자는 말

그 무렵, 우리는 각자의 방법으로 행복해지기로 하고 돌아섰다.

'각자의 방법으로 행복해지자'라는 말은 얼마나 잔인한가. 서로의 아픔을 알면서 절대 모른 체해야 하고 잚어지고 가야 할

짐을 나누고 싶어도 그래선 안 되고 행복해지는 방법을 알게 되어도 공유할 수 없다.
무엇보다 힘든 건, 잘 지내도 잘 지낼 수 없다는 것. 잘 지내기로 했는데 그렇지 못하면 미안하고 정말 잘 지내게 된다 한들, 나 혼자 잘 지내는 건 아닐까 하여 그것 역시 마음이 편치 않다.
그렇게까지 하면서 오롯이 혼자 가야 하는 이유는 단 하나. 함께하는 것이 서로의 삶을 불행하게 하기 때문이다. 간단하고 명료하여 더욱 아프다.

함께 행복할 수 없는 인연을 애초에 뭣하러 만나게 했을까. 서로에게 멍을 남기면서 돌아서는 순간까지 왜 애정은 남아가지고 미워하지도 못하게 만들었을까.

어쨌든 함께 행복해질 수 없다면, 어렵게 돌아서야만 하는 헤어짐마저 아깝지 않도록 잘 지내길 바란다. 잘 지낸다는 소식이 잠시라도 귓가에 스치면 나도 불편한 마음 접고 내 행복에 집중할 테니, 당신이 꼭 잘 지냈으면 좋겠다.

나보다 더.

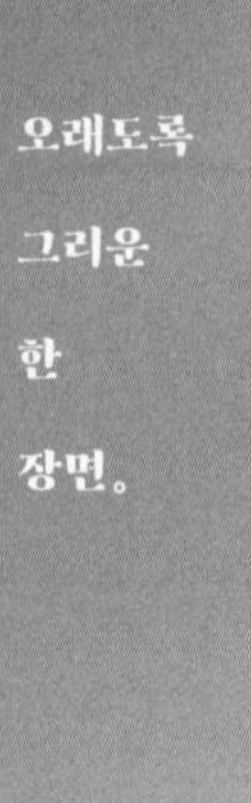

오래도록

그리운

한

장면.

너무 눈부셔서 차마 쳐다보지도 못하고,

반쯤 감은 눈으로 떠나보낸 것들이 있다.

언제가 가장 그리워할 순간일지도 모르고.

부드럽게

유-

월

—

처음부터 다시 시작하기엔 멀리 왔고

포기하고 주저앉기엔 한참이 남은 중간 달.

봄이라 부르기엔 늦고 여름이라 부르기엔 이른

절반의 계절은, 꿈이라고 하기엔 덜 간절하고

사랑이라기엔 미지근한, 그런 애매한 열정과 닮았지.

절반의 마음을 비워야 할지 채워야 할지

초조해 말고 유-월, 발음처럼 부드럽게 흘러가자.

그동안 귀했던 맑은 하늘, 짙은 녹음을 보는 일

그것만으로도 낭비될 건 없잖아.

힘 빼고 유-하게 가자.

두고
온 건
마음이었네

급히 나가려던 참에, 원피스 소매의 단추가 없다는 것을 발견했어. 아, 그러고 보니 언젠가부터 덜렁덜렁하게 힘없이 매달려 있던 단추였어. 알고 있으면서도 단단히 꿰맬 생각을 하지 않은 건, 아슬아슬하긴 하지만 당장엔 매달려 있으니까 급하지 않다고 생각했기 때문이야.

곧 떨어지겠다고 여러 번 생각했는데 아무 조치도 하지 않았어. 결국엔 떨어뜨렸지, 어딘가에. 밖에서 떨어뜨린 단추는 영영 찾을 수 없는데, 알면서도 왜 주의하지 않았을까. 어쩌면 나는 그 단추가 떨어져도 괜찮다고 생각했을지도 몰라.

그런 식으로 이미 예상하면서 잃어버리는 것들이 있어.
이를테면 당신에 대한 내 마음이 그랬지. 사실 처음 봤을 때 이미 알고 있었어. 당신에게로 마음이 떨어질 것이라는 걸. 알았기에, 마음 단단히 부여잡으며 돌아섰으면 되었을 텐데. 또 한 번 당신을 보았을 땐 역시나, 간신히 매달려 있던 단추와 함께 마음도 떨어뜨리고 왔지. 언젠가 당신은 중요한 것 아니냐면서 단추를 돌려주었어. 그것이 두고 온 내 마음도 아닌데 속으론 덜컥 해서는 "단추는 중요하지 않아요" 하고, 건네받은 단추를 대충 주머니에 쑤셔넣었어. 그렇게 돌아온 단추를 또 한 번 잃어버린 후에는 내게 돌아오지 않았네.
단추가 없어 벌어진 소매를 보면 마음 어딘가도 벌어진 것처럼 허한 기분이 들어. 영영 다시 되찾을 수 없을 거라는 거 알면서도, 떨어뜨리고 오는 건 무슨 심보일까.

단추가 떨어진 자리에 다른 단추를 기우고 있어.
그러네, 단추는 중요하지 않네. 비록 모양은 다르지만 다른 단추를 달면 소매를 잡아 주는 역할은 똑같이 할 수 있으니까. 단추는 잃어버려도 괜찮은 거였어. 그런데 자꾸만 벌어지는 마음은 어떻게 꿰매지. 무엇으로 대체가 가능할까. 그것이 당신일 순 없을까. 그렇게 난 혼잣말을 해. 두고온 건 마음이었다고.

회전목마
한 번
탔을 뿐인데

폐장시간을 앞둔 놀이공원.
당신과 내가 회전목마를 함께 타게 된 것은
우연이었을까 운명이었을까.

화려한 빛, 동화 속 멜로디

서로에게 눈을 떼지 않은 채
둘만의 세상이 돌고 돈다.
영원히 멈추지 않을 것처럼

오르락내리락하는 목마의 리듬보다
내 심장이 더 뛰기 시작했을 때,
빛이 소멸하고
노래가 끊기고
세상이 꺼진다.

등 떠밀리듯이 내려와 멀었던 눈을 비빈다.
땅을 밟고 선 다리가 비틀거린다.
그 사이 한 번도 눈맞춤이 없었던 타인처럼
내게서 등을 돌려 성큼성큼 멀어지는 당신

알고 있었다.
회전목마의 생이 순간이라는 것을

내내 짐작했지만 어째서 내 심장은

여전히 그대로인가.

그저 회전목마 한 번 탔을 뿐인데.

안녕의
순간

관계에 매듭을 짓겠다고 다짐하는 것이 벌써 매듭을 풀고 있는 거야. 마지막이 되는 순간은 '안녕'이란 말로 보내지 않아. '안녕'이라고 말하는 순간조차 붙잡는 거거든. 진짜 마지막은 '안녕'이란 말없이 보내. 계절이 여러 번 지난 어느 날, '아, 그때가 마지막이었구나' 하고 깨닫지.

추억이
없어서
다행일 때도 있어

춘천의 발음은 '청춘'과 닮아서인지 발음하는 것만으로 푸름이 펼쳐지는 것 같다. 춘천으로 가는 기차를 '청춘열차'라고 부르는 것도 참 어울린다. 이렇게 발음만으로도 청춘을 떠올리는데, 청춘의 시기에 춘천에서의 낭만적인 추억을 가진 이에게 그 발음은 얼마나 푸르고 아련할까.

반짝이는 강물을 오른편에 두고 노래를 들으며 달리는데, 이곳에 떠올릴 만한 진한 추억이 내겐 없어서 다행이라고 생각했다. 근데 추억이 없어서 다행이라니, 그것도 좀 우습네.

어떤 노래나 장소가 온통 한 사람을 떠올리게 하는 추억을 가지게 되면 금기곡이나 금지 장소가 되어 버리는 탓에, 추억은 재산이면서도 동시에 장애가 되기도 한다. 그렇게 힘이 센 추억 앞에서 우리는 무력하니까. 온전히 나를 위한 오늘의 나들이엔 추억이 없는 편이 도움이 되었다.

그런 의미에서 내게 춘천은 추억 청정지역이다. 마음에 걸리는 것 없이 풍경을 즐기며 추억을 새로 쌓을 수 있는 도화지 같은 곳.

청춘

혹은

사랑처럼。

그때의 우리는 마치 손우물 안 얼음 같았지.

갑자기 받은 얼음을 입에 넣을 수도,

바닥에 버릴 수도 없어 머뭇거리던 짧은 순간에

손가락 사이로 흘러 버린 것.

금세 녹아 사라지는 액체라는 걸 알면서도

한동안 어리둥절했지.

물에 젖은 빈손을 괜히 꽉 쥐어 보면서.

어둠
속의
너에게

연락이 힘든 걸 보니, 걱정이 되지만 먼저 묻지 않을게. 고민거리가 생기면 혼자만의 시간이 필요한 너잖아. 아마 지금 너는 네 동굴에서 끊임없이 고민하며 버티고 있겠지. 그리고 언제나 그랬듯 맑은 얼굴로 장난스러운 미소를 지으며 나올 거라는 것도 알아. 얼른 보고 싶다. 넌 웃는 모습이 예쁘니까.

그렇다고 억지로 웃진 않았으면 해. 그거 알아? 너는 힘든 일이 있을 때 더 과장해서 크게 웃어. 마치 금방이라도 울 것 같은 얼굴로. 사람들은 네가 괜찮은 줄 알지만 나는 그렇게 웃을 때 네가 불안해. 갑자기 무너질까봐.

결국 늘 현명한 선택을 하는 너를 믿어. 혹 현명한 선택이 아니면 또 어때, 네가 하는 선택이 너를 위한 것일 텐데.

동굴 안의 네가 궁금하지만 기다리고 있을게. 하지만 곧 봄이 오고 사방에 꽃이 필 테니 고민이 너무 길어지지 않았으면 좋겠다. 너랑 가장 어울리는 계절엔 너를 꼭 만나고 싶거든. 부디 잘 견디고 나오길 바랄게.

그럼, 우리 꽃나무 아래에서 사진을 찍고 네가 좋아하는 맥주를 마시면서 밤새 밀린 수다를 하자.

하이 라이트 장면

'아, 지금이 인생의 하이라이트구나.'

조명도 음악도 없지만 분명히 알아채는 순간이 있어. 벅차고 행복하면서도 어딘가 슬픈 마음도 들어. 내 삶의 반짝이는 하이라이트 부분이 과거가 되어 가는 중이니까. 바라보고 있노라면 벌써부터 그리워지는 느낌 있잖아.

나는 지금 이 순간을 오래오래 그리워하겠구나, 그런 예감이 든 순간은 정말 오랫동안 그대로 살아남아. 영화의 줄거리나 결말은 기억나지 않아도 하이라이트 장면 하나는 생생하게 기억나는 것처럼.

기억이
나지 않는
책

책장에 자리가 부족해져서 책 정리를 했다. 두고두고 간직하고 싶은 책은 책장에 그대로 두고, 처분해도 될 책만 골라서 바닥에 내려놓았다.

중고로 팔려고 내놓은 책들 중에는 선물로 받았지만 취향이 아니라서 읽지 않은 책도 있고, 내가 직접 고르고 읽었지만 내용이 기억나지 않는 책도 있었다. 딱히 별로였던 것도 아니고 좋았던 것 같기도 한데 단 한 문장도 기억나는 것이 없었다. 그러고 보니 읽지도 않은 책보다 허무한 건, 다 읽었는데도 기억에 남는 것이 없는 책. 제목도 표지도 내 취향이고 내가 아끼는 다른 책들과 비슷해 보이는데 이 책은 책장이 아니라 바닥으로 분류가 된다.

아마 누군가에게 나 역시 그런 책이 아닐까. 차라리 만나지 않았다면, 내 이야기를 들려주지도 않았을 테니 후회도 허무함도 없을 텐데. 음, 좋았던 것 같은데 딱히 기억은 없어. 누군가에게 모조리 읽히고도 감상을 남기지 못하는 건 얼마나 허망한 일인지.

책도 사람도 연이 있어야 남는가 보다. 단 한 번밖에 읽히지 않고 밑줄도 없이 깨끗한 책의 표지를 닦고 조심스럽게 포장을 했다. 누군가에겐 감명 깊이 남을 책이 되길.

다시는,
다시

열 살 때, 충북 괴산의 청천이라는 시골 마을에서 잠시 살았던 적이 있다.

동생이 한밤중 큰 고통을 호소하여 큰 병원에 입원하게 되었고, 그곳에서도 정확히 원인을 알 수가 없어 매일 금식과 검사만 반복하는 날들이 이어졌다. 두어 달을 검사만 하던 의사는 부모님에게 마음의 준비를 하는 게 좋겠다는, 믿을 수 없는 말까지 전했다고 한다. 그때 난 정확한 이야기들을 알 수 없었지만 회색 도화지처럼 핏기 없는 동생의 피부와 앙상한 몸, 복도 끝에서 고개를 숙인 채 어깨를 떨고 있는 엄마의 모습에서 심각한 분위기를 느낄 수 있었다.

검사와 치료를 더 해 보자는 병원의 의견을 무시하고 부모님은 공기 좋고 물 맑은 시골로 내려가자는 과감한 결심을 하셨다. 부모님은 집 정리와 퇴원 수속 등 할 일이 남아서, 나 먼저 청천의 이모댁으로 보내졌다. 여름방학 동안 갑작스럽게 일어난 일이라 친구들에게 작별인사는커녕 소식도 전하지 못한 채 서울을 떠났다. 내려가는 고속도로에서 스치는 창밖을 바라보며 친구들 이름을 하나하나 떠올리고, 마음속으로 하고 싶은 말을 전했다.

내게 닥친 첫 이별이었을 것이다. 전하지 못한 말들이 마음을 내내 누르고 있었다. 새로운 곳에 와서 아주 푸른 풍경을 볼 때, 차가운 시냇물에 발을 담갔을 때, 손 한가득 다슬기라는 것을 잡아 올렸을 때, 서울에 두고 온 친구들이 떠올랐다.

'오늘은 집 앞에 흐르는 시냇물에 발을 담갔는데 엄청 시원했어. 다슬기도 잔뜩 잡았어'라고 마음속으로 누군가에게 내 일상을 말했다.

혼자서 2주 정도 지냈을 즈음 아빠가 오셨다. 아니, 잠깐 들르셨다. 아빠는 버스터미널 근처의 중국집에서 자장면을 사 주시며 말씀하셨다. 혼자 먼저 보내서 미안하다고. 그리고 잘 지내 줘서 고맙다고. 방학이 끝나기 전에 내려올 테니 조금만 더 참고 있으라고.

그전까지 갑자기 시골로 내려오고 전학을 가는 것, 혼자 지내게 된 것에 대해 불만을 갖거나 투정 섞인 말을 꺼낸 적도 없었다. 엄마, 아빠, 동생이 그보다 더 큰 일을 겪고 있으니까 이런 소소한 투정을 꺼내면 안 된다는 마음이었다. 그런데 조금만 더 참고 있으라는 말에 울컥하며 속에서 덩어리 같은 것이 올라왔다. 지금 울면 안 된다는 생각이 더 강했던 덕에 나는 자장면을 크게 한 입 욱여넣으며 올라오던 것을 자장면과 함께 삼켰다. 아빠는 용돈으로 오천 원을 주시고 다시 서울로 올라갔다.

왜인지 그때 '아마 이제 가족과도 만날 수 없을지도 몰라' 하는 두려운 생각이 들었다. 친구들과의 이별 위에 가족과의 이별까지 겹쳐진 그때, 주위를 둘러싸고 있는 당연한 것들이 사라질 수도 있다는 생각을 처음으로 했다.
그런데 거기서 내가 울어 버리면 모든 게 정말로 사라지는 것으로 확정될까봐 울지 못했던 것 같다. 끝이라고 인정해 버릴 순 없었으니까.

나의 불안한 예감과 달리, 얼마 지나지 않아 모든 가족이 내려와 함께 살 수 있었다. 병원에 누워만 있던 동생은 그곳에서 흙을 만지고 맑은 공기를 쐬고 풀숲에서 뛰고 냇가에서 수

영하면서 여느 시골 꼬마처럼 잘 지냈다. 그러면서 알 수 없던 병이 자연스레 치유되었다.

우리는 여전히 그 병에 대해서 알 수 없지만 폭풍 같은 한 계절을 겪은 후 제자리로 돌아오게 된 건 참 다행인 일이었다. 시골 학교에서 한 학기를 보내다 겨울방학을 앞두고 서울로 다시 올라오게 되었다. 그새 익숙해진 그곳을 예상보다 빨리 떠나게 되었다.
여름방학에 갑자기 떠나온 서울 학교의 복도를 다시 걸으니 기분이 묘했다. 다시는 걸을 수 없을 줄 알았는데, 여름에 떠나온 곳을 겨울에 다시 서 있다니.

나는 교실 문 밖에 서 있었고, (이전 학기에도 여전한) 담임 선생님은 반 아이들을 놀라게 하고 싶으셨던지 나라는 걸 알리지 않고 전학생이 왔다고만 말씀하셨다. 여름방학부터 갑자기 사라졌던 내가 들어가면 모두들 깜짝 놀랄 테니까.
그때 가장 친했던 친구가 문 밖에 서 있던 나를 먼저 알아보곤 "민경이다!" 하고 소리쳤고, 그 순간 문이 열리면서 친구들이 우르르 뛰쳐나와 나를 얼싸안았다. 우리는 소리 지르고 웃고 울며 놀라움과 반가움을 마음껏 표현했다.
열린 문으로 교실의 빛까지 쏟아진 덕에 눈앞이 희미해지며 나는 그제야 참았던 눈물들을 쏟아냈다.

모든 게 사라질까봐 마음 졸이던 시간에 대한 안도감과 '다시는' 함께할 수 없을 것 같던 것을 '다시' 마주했을 때 드는 감사함. 그 모든 마음을 처음으로 겪었던 열 살의 뜨거운 계절과 장면을 20년이 넘게 지난 지금도, 생생하게 기억한다.

모든
풍경이
너였어。

괜찮아,

너를 만나러 가는 길에 보는 풍경들도 좋았어.

손가락 사이로 비치는 햇빛,

파르르 흔들리며 뒤로 멀어지는 나무들,

파도처럼 넘실대는 들판, 따라오던 구름까지.

널 생각하며 가던 길의 풍경들까지 모두 너였어.

그 모든 것들이 내겐,

너와 함께 한 추억으로 기억될 거야.

꿈이

점점

무거워진다

잃어버린 것들은 죄다 꿈에 가서 사는가.

그 표정, 그 웃음, 말투와 손짓, 무엇 하나 변하지 않은 모습 그대로 꿈속에 또렷하게 살아 있다.

오랜 시간 마음 들여 놓은 것들을 꿈에서 매일 마주하니, 결국 보낸 것은 하나도 없다.

예전엔 그것들을 꿈에서 마주해도 배경 보듯 지나쳤는데 이제는 꿈인 걸 알아서, 정성껏 바라보고 어루만지며 온 감각을 기울인다. 그들은 여기가 꿈속이라는 걸 모르고 태연하니 나만 잔뜩 애가 타서는 꿈에서 깨기 직전까지 모든 형태를 놓칠세라 열심히 담는다.

암흑.

꿈의 문턱에서 쫓겨나듯 잠에서 깬 후 찾아오는 정전.

잠을 쥐어짜고 쥐어짜 내고야 겨우 실눈을 뜬다. 두터운 그리움을 이불처럼 걷어차고 허리를 세운다. 현실로 온다. 나이가 들수록 잃는 것이 많고 그것을 놓을 줄 알아야 어른이라고 하는데 놓아 버린 척, 꿈속에 쌓아만 가니 점점 더 잠이 늘고 꿈은 무겁다.

매일 아침마다 이별이고 어른에서 더 멀어진다.

갖고 싶다면
그 자리에
가만히 두기를

한껏 피어나야 지는 법인데, 피어나지 못해 지지도 않았다. 시작이 없어 끝도 없듯, 애초에 가진 적이 없으면 사라지는 일도 없다.

우리는 손에 들어온 것에 마음에 자리를 주지 않고, 가지지 못한 것들을 마음속에 숨겨 두고 틈틈이 꺼내 보는 방식으로 오래 간직한다.
나의 틀 안으로 데려와 갖게 되는 실재는 아주 잠시일 뿐, 그것은 곧 변하거나 사라지거나, 끝이 기다리고 있으니 가지는 일은 결국 잃는 일인 셈이다.

영원히 간직하는 것들은 결국 내가 가지지 못한 것, 시작하지 못한 것, 닿지 않는 것들이다. 그런 것들에 대한 환상은 변하지 않은 채로 마음에 담아 둘 테니까.
아, 그러고 보니 내가 그토록 바랐던 '영원'이란 단어는 가지지 못하는 것들에 해당되는구나.

손아귀에 잡히는 순간 '영원'이란 단어와 상관없는 것이 되어버린다는 것. 정말 갖고 싶다면 그 자리에 가만히 둬야 한다는 속절없는 사실을 인정하는 것. 가지지 않아야 진정 간직할 수 있다는 아이러니한 슬픔을, 이제는 안다.

추억의
빛
—

집으로 가는 버스를 탔다. 곧 해가 저무는 저녁시간, 버스 차창 밖 하늘은 아름다운 빛으로 물들고 있었다. 해는 지평선 아래로 반 정도 몸을 숨기고 하늘은 황금색과 분홍색이 그러데이션으로 펼쳐지며 구름마저 달콤한 색으로 물들였다. 그 풍경이 몹시 황홀해서 눈부신 것도 잊은 채 한참을 바라봤다.

그러던 중에 버스가 갑자기 터널로 들어섰다. 여전히 내 눈에 남은 노을빛이 터널 안 어둠 위를 떠다녔다. 꽤 긴 터널이었는데도 떠다니는 빛 덕분에 캄캄함을 느끼지 못했다. 그것이 마치 추억과 같다는 생각을 했다. 아름답게 빛나는 추억은 어둠 속을 걸어야 할 때 견딜 수 있는 힘이 되기도 하니까.

눈앞의 형체는 시간 앞에 희미해지겠지만, 순간의 반짝임은 오래 잔상으로 남는다. 눈부신 빛을 바라본 후에 눈을 감으면 어둠이 아닌 빛이 보이는 것처럼, 비록 한때라 할지라도 정말로 소중하고 아름다운 순간은 마음속에서 오래도록 따뜻하게 빛난다. 축축한 어둠이 길게 이어지는 터널을 통과할 때까지 덜 어둡고 덜 춥게 만들고, 다시 빛으로 향하게 하는 일. 나는 그것이 살아가는 데 희망의 연료가 되어 준다는 걸 믿는다.

풍경은 기억보다 강하다

아침잠이 많은 내게 일찍 일어나는 것은 굉장히 어려운 일인데, 공기 좋은 자연 속으로 여행을 오면 알람을 맞추지 않아도 아침 일찍 저절로 눈이 떠진다.

전날 늦게 잤는데도 개운하게 일어나 숙소 앞의 바닷가를 산

책했다. 여섯 시, 푸르스름한 색감으로 세상이 물들어 있다. 새벽의 푸르스름한 공기는 일출 후 저녁의 푸르스름함과는 분위기가 다르다. 좀 더 몽환적이라고 해야 하나. 아직 꿈속 같은 기분. 걸음을 멈추고 계단에 앉아 찬찬히 풍경을 바라보았다. 푸르스름한 하늘, 흩어지려다 한숨처럼 남은 실구름, 그림자도 없이 서 있는 나무. 처음 와 본 타지의 바닷가, 자주 보지 못하는 새벽의 빛인데 어쩐지 익숙한 느낌이 들었다.

아! 언젠가 이런 풍경 본 적이 있는데.
내 안에 애틋하면서도 떨리는 어떤 감정이 자꾸 솟구쳤다. 기억을 찾으려 해도 딱히 어떤 사건이나 장면이 떠오르진 않았다. 감정은 오롯이 느껴지는데 기억은 사라지고 눈앞엔 풍경만 남아 있다.
출처 없는 감정에도 휘청댈 수가 있는 건가.
그건 내가 이와 비슷한 공기와 습도, 색감이 같은 풍경의 순간을 흐르는 영상이 아닌 정지된 이미지 한 장으로 기억하기 때문일 것이다.

뇌의 기억은 시간에 의해 지워진다고 해도 마음에 아로새겨진 기억은 불현듯 생생하게 떠오른다.
이런 식으로 갑자기 어떤 순간을 재생시킨다. 함께 있던 사람도, 약속도, 시간도, 그리고 기억까지 사라진 뒤에도 풍경은 남는다.

찬란하게 남겨지는 기억

여름의 속성은 찬란이야.

춤추는 녹음. 일렁이는 빛 그림자. 물결의 파동, 빛나는 윤슬 같은 것. 다른 계절에 볼 수 있는 것들도 유독 여름날엔 더 선명하게 반짝여.

시간의 결 사이사이까지 눈부신 것 같아.

하지만 우린,

여름의 한가운데에 있을 때 아름답다고만 느끼진 않았어.

어지러울 만큼 뜨거운 열기, 따갑게 데인 살갗,
눈물과 땀이 분간되지 않을 만큼 엉켜 녹아내리고
습한 공기는 호흡마저 어렵게 했지.

유독 여름이란 계절은 지나간 후에
아름다운 이미지로 포장되는 것 같아.
청춘이나 사랑의 한가운데,
뜨거움이 주는 고통은 잊은 채
빛의 장면만 그리워하듯이 말이야.

얼마 후면 '지난여름'이라고 불릴 이 여름에서

우리는 어떤 기억을 남기게 될까.

꿉꿉하고 습한 추억은 유통기한이 짧으니

비 온 뒤 나뭇잎 위 빗방울처럼

반짝반짝 말간 기억만이 남겠지.

우리가 기억하는 건 반짝임뿐이야.

그래서 여름은, 청춘은 찬란이야.

3
국화

흔들리는 나에게 위로를

마음의 선택

선택의 기로에 있을 때, 나는 늘 '내 마음이 가는 쪽'으로 손을 들어 줬다. 성격이 급한 탓에 하고 싶은 것이 떠오르면 당장 해야 해서 가장 자신 없는 것은 '참거나 기다리는 일'.

꿈이든 사랑이든 일상의 작은 부분까지 그래왔기 때문에 성

급하다는 단점과 진취적이라는 장점을 동시에 가졌고 '설레발'이란 별명도 따라다녔다. 철없고 무모해 보일지 몰라도 순간의 마음에 귀 기울인 선택들이 내게 길을 만들었다. 비록 도중에 흙탕물에 빠지는 일도 허다했지만 그 길들 역시 결국엔 꿈을 이루는 길로 향하게 했으니, 이것은 나의 굳은 신념이 되었다.

'망치면 다시 시작하면 돼. 이 길이 아니어도 길은 다 통하게 될 거야.'

하지만 언제부턴가 순간의 선택 뒤에 수습해야 할 것들이 늘어났다. 내 마음이 끌리는 쪽으로 솔직하게 향했던 걸음이 다른 이들에게 피해를 주기도 했고, 생각지도 못한 손해와 책임이 따르기도 했다. 그것을 깨닫고 나니 선택을 한다는 것이 두려워졌다. 이 두근거림이 도전인지 욕심인지 가려낼 줄 알아야 하고 마음을 무작정 따르기보다는 나와 내 사람들에게 어떤 이익과 피해를 가져다줄지를 먼저 계산해야 했다. 또한 그 선택에 실패를 줄이려면 아무리 지금 하고 싶어도 참고,

적당한 때를 기다렸다가 시작해야 한다.

그런 것들을 생각하면서 신중하게 선택해야 한다. 선택에 책임을 지는 것이 어른이니까. 그것이 너무 어려웠던 나는 선택 앞에서 숨는 일이 많아졌고, 급기야 마음이 반응하는 것도 무시하며 새로운 일을 전혀 만들지 않게 되었다.

실패할 확률을 줄이기 위해 아무것도 하지 않는 나.

무작정, 마음이 향하는 곳으로 달려갈 일이 앞으로 또 있을까?

나에게 위로를

힘들어하는 과거의 나에게, 지나갈 거니까 괜찮다고 위로하고 싶다는 생각을 한 적 있다. 하지만 지금의 내가 꼭 과거의 나보다 더 어른스럽고 씩씩한 것도 아니었다.

과거의 나 역시 지금의 나를 안아 주며, 잘 버텨 줘서 고맙다고 칭찬해 줬으면 좋겠다.

무엇보다 나는 나의 위로가,

나의 칭찬이 절실히 필요하다.

그럼에도
내
사람들

잘한 것도 없는데 나를 따스하게 비춰 주는 햇볕을 쬐다 보니 잘해 주는 것도 없는데 나를 애정해 주는 사람들이 떠오른다. 그럼에도, 나를 아껴주는 내 사람들.

최근에 나를 좋아하고 믿어 주던 사람들에게 못난 모습을 내 보이게 되었다. 그들에게 실망을 안겨 주는 상황에서 그들이 내게 하는 행동들을 보며 이런 생각을 했다.

망쳐 버린 연극.

엉망진창으로 연극을 망치고, 눈물에 분장이 젖어 얼룩덜룩해진 얼굴을 푹 숙이고서 무대를 내려왔을 때 "왜 그랬어", "그러게, 연습 좀 더 하지" 하고 말하는 사람이 있는가 반면 그럼에도 불구하고 "수고했어, 고생 많았다" 하고 안아 주는 사람들이 있다.

망친 무대가 아니라 나를 걱정해 주는 사람, 혼을 내거나 실망하고 떠나는 사람. 평소에 더 많이 만나고 친하다고 해서 남은 것도 아니고 평소에 덜 만나고 대화가 적었다고 해서 떠나는 것도 아니었다. 실수 없이 멋지게 마쳤다면 모두가 박수를 보냈을 테니 알아차리지 못했겠지.

그럼에도 불구하고, 내 곁에 남아 주는 사람들.

갇힌
슬픔은
달릴 수가 없다

'과거'를 영어로 'fast'라고 썼다. 뭔가 어색해서 다시 보니 'fast'는 '빠른'이었다.

아, 내가 철자를 틀렸네. '과거'를 '빠른'으로 잘못 써 버렸네. 지우려고 커서를 a까지 끌고 와서 이 둘이 다르지 않다는 생각을 했다.

Past = Fast

과거는 빠르다. 빨라서 과거인가.

다행인지 불행인지 벅차오르는 행복의 순간도, 먹먹하게 짓누르던 슬픔의 순간도 과거라는 같은 이름표를 달고 우리의 뒤로 달려간다. 다만 행복보다 슬픔의 달리기가 느려 좀 더 천천히 멀어질 뿐 모두 과거가 된다. 여전히 아프다면 그건 아직 지나가는 중이라 그런 것이다.

시간이란 정말 똑같이 흐르는 걸까, 하는 의심은 누구나 해봤을 것이다. 행복한 순간의 시계는 빠르게 흘러가지만 힘든 날들의 시간은 더없이 느린 것을 모두 겪었을 테니까.

'시간이 지나면 괜찮다'는 희망의 말을 믿고 기다리기에 하루는 너무 길었고, 고통 속의 한 달 뒤는 어쩌면 오지 않을 수도 있는 아득한 시간이었다. 내 등을 짓밟는 절망의 발자국이 일일이 느껴질 정도로 늘어지는 시간. 절망이 지나갈 때까지 견디는 것 말고 할 수 있는 일은 없었다.

그런데 30대에서는 힘든 날들도 빠르게 흘러갔다. 내가 우울해하던 한 달이 금세 지나고 부지런히 계절이 바뀌었다. 절망 역시 내게 머무를 시간이 없다는 듯 성큼성큼 저만치 가 버리니 나는 허겁지겁 슬픔의 서랍을 닫고 시간을 쫓아가기 바빴다. 슬픔에만 집중할 수 있는 시간을 허락하지 않는 듯했다.

이제 어른이 되어 성숙해졌기 때문에 슬픔이 와도 금세 넘기는구나 하고 착각했다. 하지만 시간이 빠르게 흐른다고 해서 마음이 빨리 치유되는 건 아니었다. 당시에 급하게 닫아 둔 서랍이 자꾸 삐꺼덕대며 열렸다.
예기치 못한 어떤 순간에 문득문득. 그럴 때마다 울컥 쏟아지는 것을 누가 볼까봐 잽싸게 닫는 것 외에는 방도가 없었다. 그것을 열어 마주하고, 정리를 하고 비워 내는 건 여간 버거운 일이 아닌데다, 시간은 슬픔에 집중할 여유를 주지 않기 때문에 그럴 새도 없었다. 가끔 열리지만 않는다면 충분히 숨길 수 있고 아프지 않은 삶이니까 그저 다시 열리지 않길 바라며, 서랍을 힘껏 닫아 둔다.

과거는 빠르다. 나이가 들수록 더 빠르다고 한다. 그럼 나이가 많을수록, 어른일수록 슬픔은 더 빨리 더 멀어지는 게 맞다. 하지만 갇힌 슬픔은 달릴 수가 없다. 과거가 되지 못한다. 오직 행복하고 기쁜 순간들만이 재빠르게 멀어진다. 이것이 나이가 많을수록, 어른일수록 더 슬퍼지는 이유다.

바스라

진다고

해도。

활활 타오르는 색으로 붉게 물든 낙엽을

책 사이에 끼워 놓는 것처럼,

붉은 마음으로 물든 나를

당신의 추억 틈새에 넣어 두고 싶었죠.

책을 펼치다 우연히 낙엽을 발견하듯이

추억을 고르다 불현듯 나를 떠올릴까 싶어서.

단 한 번도 펼쳐지지 않은 채

틈과 틈 사이에서 바싹 말라 바스라진다고 해도.

그 부스러기라도 당신에게 발견되길 바랐어요.

마음이
하는
일

며칠째 비가 올 것 같은 하늘이 이어졌다. 목이 마른 나뭇잎들은 생기 없이 축축 처지고 습한 바람에 겨우 몸을 떨었다. 아주 가끔, 미스트로 분사하는 듯 물방울들이 공중에 흩뿌릴 뿐이었다. 차라리 시원하게 비를 쏟아낼 것이지, 온 세상이 흠뻑 젖을지언정 지금처럼 시들하진 않을 텐데.

종일 흐리고 불안한 하늘에게서 너의 표정이 떠올랐다. 금방이라도 울 것 같은 얼굴을 하고선 별것 아니라고 말하는 너. 무겁게 가라앉은 습기를 피할 수 없듯 가린다고 해서 슬픔이 숨겨지는 것이 아닌데. 그 생각을 한 지 얼마 되지 않아, 창 밖에 장대비 내리는 소리가 들렸다. 쏴아아, 쏟아지는 소리에 답답했던 마음이 풀리고 안심이 된다. 오래 참더니 드디어 쏟아내는구나. 펑펑 다 울어라.

우리는 남에게 설득시키기 어려운 이유라거나 아주 작은 일이라고 생각하면 슬픔으로 인정하지 않을 때가 있다. 이유가 크든 작든, 혹은 이유를 모른다 해도 흐린 하늘과 같은 마음이 지속된다면 슬픔이 분명한데 말이다.

아무것도 아니야. 울 일은 더더욱 아니야.

스스로 별것 아니라고 치부한 탓에 마음껏 슬퍼하지 못한 채, 잔뜩 흐린 상태가 길게 이어지고 시들어 간다. 차라리 실컷

아파하고 울어 버렸다면 벌써 씻겨 갔을지도 모를 감정인데, 비를 내리지 못한 구름처럼 무겁게 끌어안고 있는 것이다.

슬퍼해도 되는 일이야. 아파할 만한 일이야.
눈물이 나도 당연한 일이야. 울어야 맞는 일이야.

슬픔을 인정하고 눈물을 쏟아 내는 일을 부끄럽고 나약하다고 생각하지 말았으면 한다. 구름이 비를 뿌려 목말랐던 대지를 적시는 자연의 일처럼 마음이 하는, 지극히 자연스러운 일이라고.

시간은 약이지만

시간이 약이라고, 시간이 지나면 잊힌다고 한다.

시간은 어떤 감정이나 사건에 대해 무뎌지게 만드는 힘이 있다. 감정의 한가운데에 있던 우리를 한 발짝 떨어진 곳에 데려다준다. 그렇게 직접적인 감정에서 벗어나긴 하지만 중앙에서 조금 멀어질 뿐, 여전히 그 주위를 맴돌아, 사라지진 않는다.

그러니 강렬했던 어떤 것을 잊지 못하고 얽매이는 자신을 자책할 필요는 없다. 굳이 잊으려고 애쓸 필요는 더더욱 없고. 그건 자신의 힘으로 할 수 있는 게 아니니까.

그냥 받아들이는 것이 좋다.

아직도 남아 있구나. 앞으로도 남아 있겠구나. 원래 가지고 있는 몸의 흉터나 커다란 점처럼. 내 일부라고 받아들이고 살아가는 편이 오히려 덤덤해질 수 있을 것이다.

이별이
늘 처음처럼
어려운 이유

이별 후에 마음뿐만 아니라 멀쩡한 몸까지 아픈 건 이제부턴 몸은 마음이 기우는 방향과 반대로 움직여야 하기 때문이야. 한쪽만을 향하는 것이 익숙해진 눈동자도, 고개도, 발걸음까지 모두 반대로 돌려야 하니 온몸이 뻐근할 수밖에.

마치 능숙하게 돌리던 자전거 핸들을 반대로 돌려야 하는 일처럼 이별은 어려운 일. 핸들을 오른쪽으로 돌리면 오른쪽으로 가는 당연한 그 일을 이제 반대로 해야 해. 오른쪽으로 가려면 왼쪽으로 돌려야 한다는 말이지. 가뜩이나 눈물이 시야를 가리는데 생각하는 것과 반대로 가는 바퀴 때문에 자꾸만 넘어지겠지. 사랑이 깊었던 만큼 몸에 밴 습관이 강하게 남아 더 어려울 거야. 자꾸만 그에게 가려는 습관을 버리고 처음부터 방향을 다시 길들이는 이 무모한 과정이 헤어짐을 적응하고 혼자가 되는 연습이야.

말 안 듣는 마음은 마음대로 힘들고, 자꾸만 넘어지는 몸은 또 얼마나 아프겠어. 오랜 노력 끝에 이 습관이 길들여진다고 해도, 다시 사랑을 하게 되지. 아팠던 노력은 다 잊고 우린 또 반대의 습관을 갖고 마는 걸. 사랑하는 사람과 함께 하는 일이니 힘든 줄도 모르고 금세 익숙해지겠지만 어김없이 이별을 하면 또다시 혼자, 혼자서 반대로 움직여야 하는 일. 그렇게 또 몇 번을 더 넘어지면서.

그게 이별을 여러 번 해도 늘 처음처럼 어려운 이유야.

한껏
흔들리는
일。

나뭇잎이 떨리는 것을 가만히 바라본다.
바라본다는 건 애정을 가지고 눈동자로 포옹하는 것.
멀리서 본 나무는 살랑거리는 평온한 움직임인데,
가까이서 본 잎사귀는 파르르 떨고 있다.
잎은 바람에 바뀌는 방향에 따라 빛을 받으며
진한 초록에서 노란색, 흰색까지 다양하게 변했다.

흔들리는 일이 꼭 불안해 보이는 건 아니었다.
오히려 살아 있음을 표현하는 것 같았다.
한껏 떨리는 일도 괜찮다고 생각했다.

순간 주의자

크고 작은 아픔들을 통해 마음의 안식을 구할 법도 한데

지나간 어제의 상처, 다가올 내일의 두려움 따위 잊고

여전히 위태롭고 불안한 것에 마음이 기울어.

막다른 벼랑 끝에서 걸음을 멈추는 것,

두려움 앞에서 눈을 감는 법을 아직 알지 못해

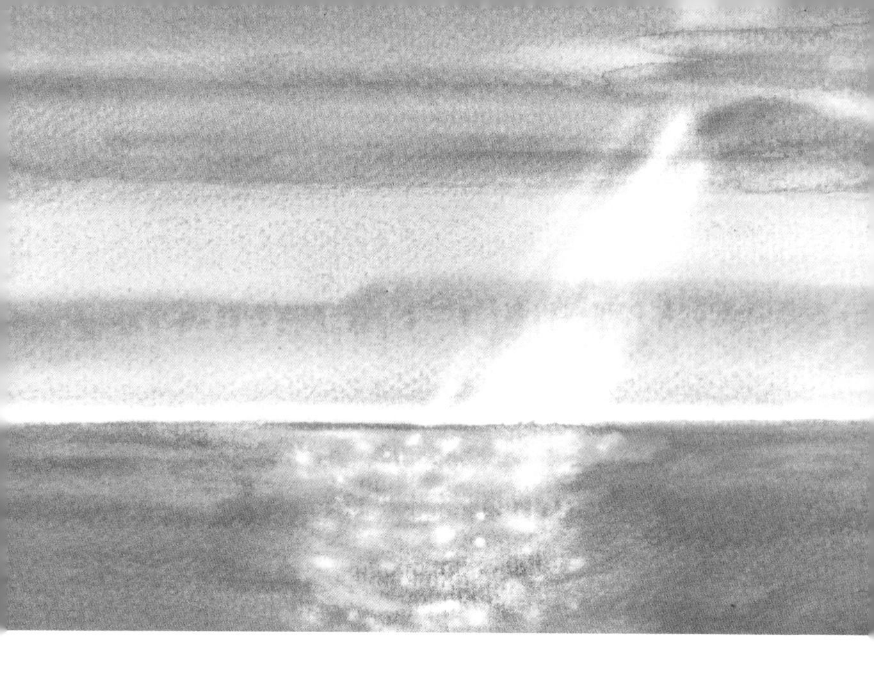

나는 때때로 무모해져.

이를테면 바다의 반짝임 같은 것에 반해
헤엄칠 줄도 모르면서 휩쓸림에 대해 아무런 준비도 없이

풍덩, 뛰어들곤 해.

안 전 하 고
편 안 하 게

작년 겨울에 워터파크를 갔다. 한 겨울의 물놀이는 처음이었는데 물이 따뜻하니, 실외까지 이어진 유수풀에서도 춥지 않았다. 구명조끼는 튜브 역할을 하여 나를 떠 있게 했고, 자동으로 흐르는 물살 덕에 굳이 팔다리를 젓거나 앞으로 가려고 애쓰지 않아도 저절로 흘러갔다.

아무것도 하지 않고 가만히 있어도 흘러갔다. 시체처럼.

반복하여 흐르던 중 붉은색의 '출입제한' 안내문과 함께 비닐로 막아 놓은 구간이 보였다. 나는 몸에 살짝 힘을 주어 방향을 틀었다. 실수인 척 출입제한 물길로 머리를 넣었다. 머리와 어깨가 출입제한 비닐을 젖히며 들어갈 즈음 누군가 날 붙잡았다.

"그쪽으로 가면 안 돼요. 출입제한 구역입니다."

힘을 쭉 뺀 채로 하늘을 향해 누워 떠다니기를 무한 반복하던 나는 이것이 안정감인가, 하는 생각을 했다. 바깥의 한파와는 전혀 상관없이 매우 따뜻하고 안전하게, 심지어 팔다리를 움직이지 않아도 정 방향으로 흘러가는 일. 혹시나 위험한 길로 가게 되면 막아 주는 안전요원까지 있다. 그것이 지금의 내 삶의 모습과 닮았다고 느꼈다.

한창 청춘일 때의 내 삶은 직접 팔다리를 휘젓지 않으면 조금도 앞으로 나아갈 수 없었고, 바깥의 추위를 온몸으로 느끼며 거꾸로 오는 물살과 파도를 직접 헤쳐야만 했다. 지금이 유수풀이라면 그때는 거센 바다의 한가운데였을지도 모른다. 그것과 비교하면 얼마나 안전하고 편안한 삶인가.

물론 유수풀에서는 아무 일도 일어나지 않고, 같은 구간만을 반복하겠지만. 심장 뛰는 일도 하나 없이.

스치는 것과
머무는
것

—

내 것이 아닌데 머무르는 연유는 무엇일까. 기다렸던 시기에 취향을 꼭 맞춰 예쁘게 포장된 선물처럼 내 앞에 나타난다. 그것을 지나치는 일도 어렵지만 내 것이 아님을 알았을 때 놔야 하는 것은 배로 힘들다. 너덜너덜해진 포장지를 다시 여미고 리본 끈을 얼기설기 묶어 다시 내놓는다. 줬다 빼앗는 게 대체 무슨 이유인지 여전히 받아들일 수 없다.

그렇게 아무것도 아닌 것이 굳이 나를 흔들 일이 있을까 싶어, 내 것을 가장한 가짜에 큰 의미를 부여하고 삶을 걸기도 했다. 아무것도 아닌 것 때문에 내 일상은 아무것도 아닌 것이 되었다.
내 것이었던 것을 놓아야 할 때마다 쥐고 있는 손에 모든 힘을 들이는 탓에 휘청이기 일쑤였다. 무언가 보내는 일이 나이와 상관없이 너무 어렵고 습득이 되질 않는다.

나이 드는 게 두려운 단 하나의 이유는 앞으로 보내야 할 것이 많아진다는 사실 때문이다. 지금도 보내야 할 것들이 밀려 있는데 앞으로 더 늘어난다는 건 생각만으로도 버겁다.
삶은 내게 반복되는 경험을 통해 알려 주려고 했지만 나는 그 가르침에 대해 너무나 열등하다. 이쯤 되니 '신'이나 '운명'이라는 것에 간곡히 부탁이라도 하고 싶은 심정이다.

내 것이 아닌 걸 내 것처럼, 그러니까 마치 운명처럼 나타나게 하지 말길. 손가락 사이로 빠져나갈 만큼의 가벼운 스침이라면 손바닥도 마주치지 않게 해 주길.

그것이 힘들다면, 스치는 것과 머무는 것을 구별할 수 있는 지혜와 스침인 것을 알았을 때 외면할 수 있는 담담함이라도 갖게 해 주길.

계절의
틈,
그 허상

한 계절이 떠나고 남은 자리를 다른 계절이 와 채우고, 또 다시 떠나고 채우기를 반복하지. 어떤 계절은 서둘러 일어나고 어떤 계절은 미련이 많아 굼뜨게 일어나. 그런 과정에서 계절과 계절 사이 빈 자리가 생길 때가 있어.

그럴 때 있지. 평소에 감지하지 못했던 공기가 무겁게 느껴지거나 바람의 색이 보인다거나 느려진 빗방울의 모양이 너무 잘 보이는 순간. 아주 짧은 틈에 모든 게 너무 예민하게 다가올 때, 일어나는 너의 마음에 주의를 기울여야 해.
예민해진 마음은 스쳐 가야 할 인연에게 과하게 심장이 뛰기도 하고 이제는 다 잊었다고 생각한 기억에 마음이 쿵 내려앉아 후회스런 연락을 하기도 하지.

그 틈에 마음이 하는 일들은 다 허상이야.

그 짧은 순간, 계절의 틈만 지나가면 잔잔해질, 아무것도 아닌 허상에 너무 많은 의미를 쏟아 내면 안 돼. 지각한 다음 계절이 헐떡대며 빈자리를 채우고 나서야, 갑자기 번쩍 정신이 들 거야. '내가 왜 그랬지' '잠깐 뭐에 씌었나' 하고 후회할지 몰라. 그러니 계절이 바뀌는 그 틈에 마음 잘 붙들고 있어야 해. 내 말 무슨 말인지 알겠지?

행복

행복은 애쓰지 않아도 내 곁에 오는 줄 알았고,

한 번 자리 잡은 행복은 영원히 머무는 줄 알았다.

그런데 행복을 잃어 본 사람은 알고 있지.

행복은 여려서 돌봐 주지 않으면 금세 발길을 돌려

마치 처음부터 존재하지 않았던 것처럼

사라질 수 있다는 것을.

행복의 무게만큼 절망에

숨 막혀 본 사람은 알고 있지.

행복도 노력이라는 걸.

괜

찮

아。

이토록 아름다운 물결도

수많은 혼란으로 이루어져 있는 걸.

나를 위한 선택

인생의 큰 선택을 해야 하는 순간, 사람들은 '네 미래를 생각해'라고 말하지만 그건 내게 와 닿지가 않는다. 미래의 나는 내겐 아직 타인인걸.

미래의 나를 생각하면 오히려 현재의 내가 하고 싶은 쪽으로만 생각을 하게 된다. 그래서 순간만을 위한 선택을 하게 되고, 그 선택은 나를 망가뜨릴 수도 있다. 그렇기 때문에 삶에 대해 깊이 고민해야 할 때는 미래의 내가 아니라 과거의 나를 떠올린다.

현재의 상황이 참 절실했던 과거의 나, 많이 울리고 고생만 시킨 동생을 떠올리듯 생각만 해도 눈시울이 붉어진다.
'그래, 현재의 나를 만들기까지 고생한 너를 쉽게 울릴 수 없지. 네가 실망하겠지' 하는 마음이 들어, 최대한 나를 위한 선택을 하도록 생각을 바로 잡을 수 있게 된다.

흔들리는 나를 잡아 주는 건, 보이지 않는 미래에서 찬란할 내가 아니라 가엾게 울고 있는 과거의 나. 내가 가장 잘 알고 있는 나다.

저무는 것들의 영광

언제부터인가 지는 해를 보며 알 수 없는 슬픈 기분에 사로잡힌다. 지는 해와 같이 오늘도 무언가 하나 기울어진다는 공허한 마음이 든다. 어쩌면 매일 해가 지는 것만 보는 탓일까. 아마 해가 뜨는 것을 자주 본다면 공허함보다 새로운 충만함 같은 것을 더 떠올리지 않을까. 마음을 다잡고 싶을 때 해돋이를 찾는 사람들의 마음처럼. 그런 생각을 하다가 몇 해 전의 작업실이 떠올랐다.

20대 마지막 해에 얻게 된 첫 작업실은 서향이었다. 입주하기 전에 사람들에게 들은 서향에 대한 의견은 대체로 부정적이었다. 여름에는 더 덥고 겨울에는 더 춥고 낮에 빛이 들지 않는다는 그런 말들. 모르는 건 아니었지만 최소한의 금액으로 원하는 공간을 얻는 일은 무척 어려운 일이므로 해의 방향까지 따질 여력이 없었다.
작업실은 붉은 벽돌로 세워진 낡은 빌라의 4층이었는데 건물만치 키가 큰 목련나무가 창문 앞에 길게 서 있었다. 덕분에 봄에는 하얀 목련꽃이, 여름에는 커다란 녹색 잎이 창밖을 가득 채웠다.
목련은 고개를 한참 올려야 볼 수 있는 꽃이라 그전까지는 가까이 볼 수 없었는데, 작업실에서는 창문을 통해 핀 목련과 눈을 마주할 수 있었다.
봄이 오기 직전인 2월 즈음 작업실에 들어오게 되어, 보송보

송한 꽃눈에서 하얀 잎이 터지고 점점 날개를 펴듯 자라는 목련 꽃을 매일매일 관찰했다.
그 풍경이 너무 좋아서 이중창의 불투명한 창을 거뜬히 떼어버린 뒤 투명한 유리창만 남겨 두고, 커튼도 달지 않았다. 아주 얇은 흰 천을 대강 잘라 한쪽 창 나뭇가지에 느슨하게 매달아 놓았다. 가려진 것 없는 유리창 전체가 엄청나게 큰 꽃 그림 액자로 보였는데, 그림을 그리거나 밥을 먹다가도 빛나는 목련 풍경에 넋을 놓았다.

서향이라 아침엔 해가 들지 않아 아침잠이 많은 내겐 더 잘 맞은 셈이었다. 한낮에도 빛이 적은 편이다가 오후 서너 시쯤 노란빛이 가득했다.
'빛이 엎질러졌다'고 표현해도 될 만큼 공간이 갑자기 노란빛으로 도배되었다. 세상의 빛은 온통 여기로 쏟아지는 듯이. 그 눈부심에도 눈 감지 않고 또렷이 바라보았다.
창밖을 가득 메운 목련 꽃 사이사이로 빛줄기가 쏟아지고 방안 벽에는 꽃나무의 그림자가 드리웠다. 바람이라도 불면 꽃 그림자가 흔들흔들 춤을 추는데 감탄이 절로 나오는 아름다움이었다. 어제도 보고 그제도 보고 일주일 전에도, 매일 보는 풍경인데도 보는 순간마다 황홀했다. 그렇게 매일 봐도 고루해지지 않고 설레는 것이 또 얼마나 있을까. 공간이 주는 크나큰 축복이었다.

네 시부터 여섯 시, 해가 긴 여름날엔 조금 더 오래. 쏟아지는 빛부터 스러져 소멸하는 빛까지 오롯이 느낄 수 있었다.
스러지기 직전의 햇빛은 노란빛에서 붉은 기가 더한 황금빛으로 더 진해지는데 이때 빛을 받는 모든 것들이 애틋하게 반짝였던 것 같다. 느리게 흘러가는 황혼의 시간에 목련 꽃도 황금빛으로 물들고 그 앞에 앉은 나의 흰 고양이도 황금빛, 떠다니는 먼지 하나하나도 빛나는 존재가 되는 그 순간을 무척이나 사랑했던 모양이다. 사건 없는 장면을 생생하게 기억하는 걸 보니.

그때는 그리 강렬하고 아름다운 빛이 이울어지는 것이 아쉽다거나 슬프다고 생각하지 않았다.
활짝 핀 채로 주저 없이 낙화하는 목련, 가장 환하게 불타오르고 소멸하는 황혼의 빛이 보여 주는 건 저물어 가는 것들의 아름다움. 최대로 만개하고 빛나다가 조금의 아쉬움도 없이 사라지는 것들은 슬픔이 아니라 영광에 가까운 모습이었다.
기울어 가는 것이 그토록 찬란할 수 있다는 위안을 받았다.
곧 사라진다고 피어나는 걸 중단하거나, 힘을 내지 않는 모습은 자연에게 없다. 그런 두려움이나 어리석음은 인간에게만 있는 일.

고작 3년 여가 지난 지금, 해가 지는 것이 아쉬운 건 아름답게 타오르는 햇빛이 아닌 곧 이어질 '소멸'에만 초점을 맞춰서가 아닐까.
어차피, 그래봤자 사라질 텐데, 하는 두려움으로 다시 강렬하고 생생하게 빛을 내 볼 용기가 없는 자신이 가여워서. 그렇게 자신이 빛나보지도 못한 채 저무는 것 같아서.

헬싱키의 하얀 밤

여름날, 북유럽인 헬싱키에서는 백야가 이어진다. 백야는 말 그대로 하얀 밤, 어둠이 오지 않는 밤을 말한다. 낮처럼 환한데 상점들이 문을 닫아서 '아, 이곳은 문을 빨리 닫는구나' 생각했는데 그때가 이미 밤 열 시였다. 마감하는 카페를 막 나와서 본 풍경은 쨍한 햇빛에 일렁이는 나뭇잎 그림자. 백야인

걸 알고 있으면서도 빛에 속아 종종 시간을 잊었다.

걸어서 숙소로 오니 밤 열한 시. 커튼을 치지 않은 채, 환한 빛 속에서 낮잠을 자는 기분으로 잠이 들었다. 도중에 깨서 창을 바라보면 여전히 환했다. 쨍한 빛은 누그러졌지만 흐린 날의 하늘처럼 어스름하게 푸른 회색빛이었다.

시계를 보니 새벽 한 시 반. 한밤중에도 어둠이 전혀 없는 완벽한 백야가 이어졌다. 문득 궁금해졌다. 이곳 사람들은 무엇으로 하얀 밤을 지새우는지. 함께 밤을 보내는 사랑하는 연인들에겐 저물지 않는 해가 낭만적일 수 있겠다.

하지만 또 누군가에겐 가혹할 이 밤. 환한 낮 동안 애써 밝은 척, 마음 숨기던 이들은 어둠 없이 어디에다 마음을 꺼내나. 어둠이 오면 그리움도 함께 재우던 이는 눈을 감고도 온통 환한 밤에 여실히 드러나는 그리움을 어찌 감당할까. 밝은 태양 아래 부끄러워 숨고 싶은 이는 긴 밤에도 자신을 훤히 지켜보는 하늘의 눈치에서 벗어날 수 없을 터.

어둠이 전혀 없이 환한 빛만 이어지는 시간은 축복이 아닐지도 모른다. 어둠은 온종일 숨겼던 감정을 꺼낼 수 있게 해 준

다. 한낮의 뜨거운 태양이 아닌 캄캄한 밤하늘의 달이 수많은 기도와 고백을 들어 주는 것처럼 어둠만이 할 수 있는 역할이 있다. 어둠은 한낮 동안 숨겼던 고독과 그리움을 마주하게 하여 자신의 마음을 들여다볼 수 있게 해 준다. 그리곤 잠을 데려와 고민의 스위치를 꺼 주고, 일렁이는 마음을 재운다. 꺼지지 않는 어떤 생각 하나로 긴 밤을 하얗게 지새워 본 적이 있다면 아마 동의할 것이다. 어둠은 축복이 내린 따스한 이불이다.

흔들리는 건

바람 탓이

아니다

한곳에 가만히 뿌리내리고 진득하게 서 있고 싶은데 불어오는 바람 탓에 자꾸만 휘청거리고 넘어졌다. 태풍이 지나간 후 정신을 차리면 낯선 곳이기도 했다.

한자리에서 안정감을 바라던 나는 바람을 원망했다.

저 바람만 불지 않으면 난 흔들릴 일이 없을 텐데.

이리저리 불안하게 날아다니는 것을 반복하던 어느 때, 나는 운 좋게도 바람이 불지 않고 비옥한 땅 위로 올 수 있었다. 이제 내가 그동안 바라던 대로 한곳에서 안정적으로 서 있으면 되는 것이다.

하지만 나는 그곳에서도 종종 흔들렸다.
바람이 불었나 싶어 고개를 돌려보면 어디에도 바람의 흔적은 없었다. 흐트러짐 없이 안정적으로 서 있는 이들 옆에서 나 혼자만 휘청거리니 그 움직임은 더 크게 보였고, 바람 탓을 할 수도 없었다.

그제야 나는 알았다.
나를 흔들었던 건 밖에서 불어오는 바람이 아니라 내 마음 안에 부는 바람이었다는 것을.

그것을 알고 난 지금도 여전히 곧잘 흔들리지만 그럴 때마다 이젠 밖을 둘러보지 않고 마음 안을 살핀다. 마음에 이는 바

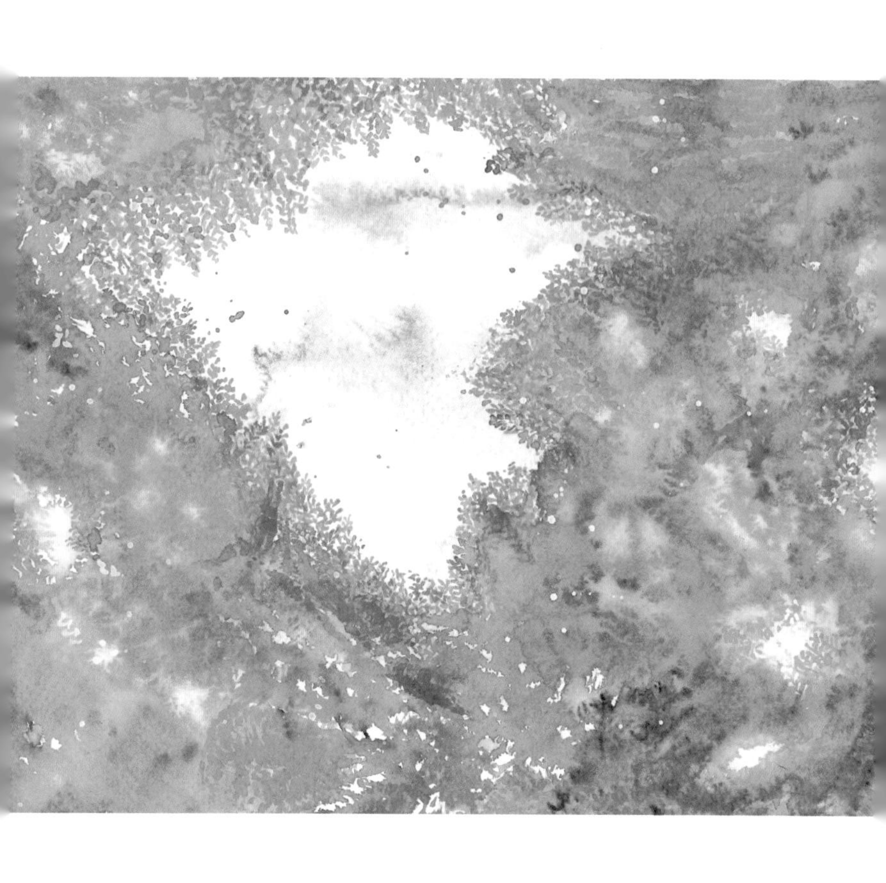

람이 나갈 수 있게 길을 터고 기다릴 수 있는 여유와 덤덤함이 생겼다. 잠시 흔들릴지언정 내가 서 있는 곳을 지킬 수 있게 되었다.

내면의 어린 아이는 저 혼자 운다

버스 오른쪽 줄 맨 뒷자리에 앉아 있었다.
대각선 방향의 2인석 자리에는 여섯 살 정도로 보이는 아이와 아빠가 앉았는데, 두어 정거장 가다 보니 아이가 막 울기 시작했다. 아빠는 달래려고 애썼지만 아이의 울음은 꽤 오래갔다. 별로 대수롭지 않게 생각한 나는 그들에게서 고개를 반대로 돌려 창밖을 바라보았다. 그런데 울기만 하던 아이가 갑자기 정확한 발음으로 "엄마아아아아아아" 하며 소리쳤다. 그 순간 나도 모르게 코끝이 찡해지며 눈물이 차올랐다.

누가 볼까 잽싸게 고개를 숙였지만 이미 흐르는 눈물을 어찌할 수가 없었다. 의지와 상관없는 갑작스러운 눈물에 스스로도 당황스러웠다. 아이가 엄마를 간절하게 울부짖는 소리에 내 안의 아이가 반응을 한 것인지 모른다.

어른의 모습만을 하고 미처 자라지 못한 우리 안에는 아이가 있다. "엄마아아아-" 하고 큰 소리로 부르며 마음껏 울음을 토해 내고 싶은 어리고 여린 아이가.

우리는 갑자기 세상에 던져져 어른이라는 가면을 받았다. 수많은 경험과 시간으로 인해, 마음에서 얼굴까지의 거리가 멀어진 어른은 감정을 절제하고 숨길 수도 있지만 아직 자라지 못한 내면의 아이는 그럴 수 없다.

슬프거나 두려운 마음을 내비치는 것도 허락되지 않으니, 아이의 감정은 마음 깊은 곳에 방치되었다가 이렇게 툭, 엉뚱한 곳에서 갑자기 터지는 것이다.

자신 안의 어린아이를 정면으로 바라보고, 그의 감정을 헤아리고 안아 주는 것이 필요하다. 그 누구도 아니라 어른인 내가 아이의 나를, 꼭.

초록이

주는

평온。

초록 그늘 아래에서 만큼은 나는 안전하다.

누릴 수 있는 평온이 이것뿐이라고 해도 괜찮을 것 같다.

나뭇잎 사이로 고개를 내민 바람이

괜찮아, 괜찮아 하며 머리를 쓰다듬는다.

소박한 손길에서 과분한 위안을 받는다.

가지지 못한 것에 대한 욕심이 마음을 탁하게 만들 때,

놓아야 하는 손에 들어간 힘을 빼지 못할 때

초록으로 도피하는 이유다.

언제
늙었다고
생각해?

지인이 운영하는 북카페에 들를 일이 있었다. 주로 독립출판 책을 판매하고 전시와 공연도 진행하는 복합문화공간이다. 음료 한 잔을 마시며 이야기를 나누다가 스윽 돌아보는데 전에 미처 보지 못한 풍경이 눈에 띄었다.

창가에 가득 쌓인 우편물들. 그것들 중 하나를 주워 봉투를

살펴보고 있으니 뒤에서 "아, 이건 저희 전시 작품인데……" 하며 말을 건네 왔다. 깜짝 놀라 뒤돌아보니 다른 테이블에 앉아 있던 사람들이었다.

손님인 줄 알았는데 전시 기간 동안 상주하고 있던 작가들이었던 것이다. 그들은 자신들의 전시품을 관심 있게 지켜보던 내게 설명을 이어 갔다.

그는 군에서 친한 동기의 자살을 겪고 큰 충격에 빠졌는데 온종일 함께해도 상대의 마음에는 무지한 세태에 대해 생각을 많이 했다고 한다. 그 이후로 마음이 힘든 사람들에게 직접 찍은 사진 위에 위로의 글을 넣은 엽서를 무료로 보내는 프로젝트를 진행했는데 2013년 가을에 시작하여 2년 동안 총 500장의 엽서를 발송했고, 서울, 강원도, 제주도를 넘어 필리핀, 뉴욕, 프랑스, 영국 등 지역을 넓혀 갔다고 했다. 당시 학생으로서 예산의 어려움으로 중단되었지만 좋은 기회가 닿아 이곳에서 한 달간 전시하게 되었다고 한다. 벽에 붙어 있는 사진들 하나하나 설명을 하며 한 달간 무작정 떠난 유럽 기차여행 사진들도 자랑했다.

미안한 얘기지만 사실 나는 사진보다 그들의 모습에 더 집중되었다. 신념으로 꾸준히 이어온 작업물에 대한 자신감 있는 말투, 전시를 하게 되어 들뜬 표정과 목소리, 앞으로도 해내야 할 사명을 이야기하는 그들이 반짝반짝 빛나 보였다. '아, 청춘의 빛남이란 이런 건가. 눈이 부셔 죽겠다'라고 느낀 나는 늙은 걸까. 나이는 고작 너댓 살 차이밖에 나지 않는데, 한 발짝 떨어진 3인칭의 시점으로 바라보자니 내가 그 안에 속하지 않는 것이 보였다. 새삼 나이 듦을 깨닫는 순간이었다.

어떤 목적이나 결과를 미리 계산하고 할지 말지를 정하는 게 아니라, 하는 과정 자체가 즐거워서, 하지 않고는 견딜 수가 없어서 추진했던 예전의 내 모습을 그들이 고스란히 보여 줬다. 마침 나도 딱 저 나이대였으니 불과 얼마 전인데 그 사이에 나는 왜 이리 변했지. 왜 생소하게 느껴지는 걸까. 반성과 아쉬움 같은 것들로 머릿속이 복잡해졌다.

나도 그저 재미있어서 엽서와 아트상품들을 만드느라 시간

가는 줄 몰랐던 때가 있었다. 직업이 된 지금보다 취미였던 그때가 훨씬 바빴다. 누가 시킨 것도 아니고 돈을 벌기는커녕 오히려 시간과 돈이 드는 일이었다.

처음 나간 프리마켓에서 3일 동안 엽서를 팔아 5만 원을 벌었는데, 누군가 내가 그린 그림을 돈을 주고 사간다는 것만으로도 너무 기쁘고 뿌듯했다. 열댓 명이서 카페 전시를 하게 되었을 땐, 구석 자리에 내 작품이 딱 하나 걸려 있는데도 동창 친구들을 다 모아서 초대할 만큼 스스로가 자랑스러웠다. 내가 즐겁고, 신념이 있으니 남의 눈치를 볼 일도 없었다. 그때의 내 표정과 기분을 이 친구들이 그대로 가지고 있었다.

그렇게 목적 없이 추진해 온 무의미해 보이는 일들이 결국 나를 원하는 곳으로 이끌었다. 지금의 나는 너무 조심스럽다. 이곳에서 내게 전시를 제안했는데도 나는 속으로 재기 바빴다. 조금 더 크고 예쁜 곳, 위치가 좋은 곳에서 하는 게 낫겠다고 생각하면서 막상 실행에 옮기진 않는다. 다른 장소도 머릿속으로 재고만 있을 뿐 결국 아무것도 하지 않는다. 실력은 더 쌓였지만 남의 눈치를 보게 된 내 자신감은 그들보다 더 부족해 보였고, 무엇을 하나 하기 위해 거기에 공들이는 고민과 걱정만 잔뜩 늘어난 나는 절대 그들과 같은 젊음으로 묶일 수 없었다.

늙는다는 건 눈 깜짝 할 새에 주름이 느는 게 아니다.
누군가가 내게 '언제 늙었다고 생각해?'라고 묻는다면, 의미 있는 결과만 재느라 결국 아무것도 하지 않고 시간을 무의미하게 보낼 때, 그때가 늙은 거라고 말하겠다.

계절에게 인사를

가을 같은 사람

얼마 전까지도 뜨거웠는데

휙, 쌀쌀해진 바람에 뺨이라도 맞은 듯

얼얼한 볼을 감싸고 서 있습니다.

아, 벌써 보낼 때가 되었군요.

어떤 것은 만나는 동시에 헤어지기도 합니다.

별똥별, 소나기, 그리고 가을이 그러하죠.

나는 보내야 하는 것을 인정할 수 없어

붙잡으려 안간힘을 썼습니다.

하지만 사랑하는 모든 순간들을 덧없이 보낸 후,

내가 보내지 않아도 잘 떠나고

견디지 못해도 기어이 지나간다는 걸,

이제는 알게 되었습니다.

믿을 수 없는 큰 만남과 이별이

특별하고 미스터리한 사건이 아니라,

계절처럼 흐르는 순환이라는 걸 말이에요.

사라지는 것에 대해서도 다시 생각하게 되었습니다.

추위 앞에서 한껏 불타오른 단풍은 금세 낙엽이 되지만

곧 흙에게 안겨 다시금 나무의 영양분이 되는 것처럼,

사라짐은 또 다른 생성의 전 단계일 뿐 '무無'가 아니라는 걸.

저무는 해는 달을, 달은 아침을, 지는 봄은 푸른 여름을 데려오고 빛이 사그라진 어둠은 촛불이라도 켜게 하잖아요.

흘러가는 것이라 해도 마음에 무늬를 새기고 지나간다면,

그리하여 언젠가 조심히 들여다보았을 때 미약한 빛이라도

품고 있다면, 그것으로 감사할 일입니다.

순간이 빚어낸 영원이라고 해도 되겠죠.

변하지 않는 상태로 쭉 지속되는 것만이 '영원'이 아니라,

다른 형태로도 여전히 남아 있다면 그것 또한 '영원'이라

할 수 있을 테니까요. 이미 오래 전에 눈앞에 없는 순간을

내가 아직도 이렇게 간직하고 글과 그림으로 담아 두면

그 기록이 영원이죠. 그래서 우린 영원이죠.

이젠 나에게 흘러오는 것들이 길을 잃거나

고여서 썩지 않도록, 굴곡진 마음의 결을 잘 닦아 놓는 것이

앞으로의 할 일일 거예요.

부디 잘 흘러가세요.

가을,

같은 사람.

4

동백

이울어 가는 것들의 찬란함

바다를
보러
갔다

바닷가 마을에 일주일가량 머무는 동안 아침 일찍 일어나, 세수도 하지 않은 채로 바다를 보러 나갔다. 대문을 열고 돌담이 쌓인 짧은 골목 하나만 나오면 바다가 펼쳐졌다. 바다를 향하는 골목길을 걸을 때마다 늘 새롭고 설레었다. 하늘과 바다는 매번 다양한 얼굴을 보여 주었기 때문이다.

커다란 구름이 바다의 지붕인 양 낮게 깔리면 그보다 높은 곳의 햇빛이 구름 빈 틈 사이로 빗금처럼 수면 위를 내리쬔다. 빛줄기를 받은 수면이 반짝반짝 빛나는데, 아주 먼 곳의 풍경인데도 선명하게 눈부시다. 그 광경을 열심히 사진에 담다 보면 비몽사몽 했던 정신은 금세 개운해진다. 고개를 잠시 숙였다가 다시 바라보면 빗금으로 내려오던 빛의 부분은 더 넓어지고 구름의 색감도 달라져 또 사진을 찍는다.

한참을 풍경에 감탄하다가 돌아가야 할 시간이 되어 바다를 등지고 골목을 향해 걷는데, 뒤를 돌아보면 또 새로운 모습을 보여 준다. 그럼 난 그걸 못 참고 다시 바다 쪽으로 달려가서 구경하고 사진에 담는다. 다시 골목으로 걸어가다가 뒤 돌아보면 또 달려가고, 돌아보고 달려가고…. 그것을 여러 번 반복한다.

뒤를 돌아보면 달려갈 수밖에 없었다. 두고 가는 것이 아쉬울 만큼 아름다운데다, 그것에서 멀어지고 싶은 의지가 약하기 때문이다. 하지만 정말로 돌아서야만 하는 시간은 온다. 가야 할 새로운 길들이 있으니까. 기어이 뒤를 돌아보지 않고 앞만 보고 걷는다.
아까보다 더 환하고 뜨거워진 햇빛이 등 뒤에 쏟아진다.
등을 덮고도 남은 빛의 입자가 어렴풋이 보인다. 분명 무척 아름다운 풍경이 등 뒤에 펼쳐지고 있겠지. 하지만 돌아보면 난 다시 바다를 향해 반사적으로 달려갈 테지. 돌아보면 안 돼.

바다 풍경 하나 등지는 것도 쉽지 않은데 아름다운 시절을 뒤로 보내 버리는 건 큰 힘이 드는 일이다. 미련이 많아서일까. 나의 걸음이 추억의 속도보다 한참 느려서일까. 시간이 흘러 꽤 많이 걸어왔다고 생각한 어느 날, 슬쩍 돌아보기라도 하면 그동안 걸어온 노력과 시간이 무색할 만큼 지나온 기억을 향해 달려가 그 앞에 무너지길 반복했다.
하지만 언제까지고 과거의 추억에 묶일 수는 없는 일이다. 앞으로 가야 할 길에 펼쳐질 아름다움을 만날 기회를 놓치는 거니까.

그때로 돌아갈 수 없다 하더라도, 돌아볼 수 있는 것만으로도 감사하다고 여기는 날을 기대하면서 한 걸음을 내딛는다.

내가 나로 살아가는 일

그림 클래스를 마친 후, 오신 분들의 책에 사인을 해 드리던 중 대학생으로 보이는 한 분이 질문을 했다.

"좋아하는 일이 어떻게 직업이 되었어요?"

나는 혹시 약속이 없으면 기다려 줄 수 있냐고 물었고, 그녀는 흔쾌히 알았다고 하며 자리를 잡았다. 짧게 대답할 수 있는 질문도 아닌데다가 순간적으로 그녀의 표정에서 간절함이 보였기 때문이다.
사인회와 정리를 모두 마치고 얘기를 나눠 보니 20대 중반에 대학을 졸업하고 사회생활을 막 시작한 친구였다. 고민 중인 이야기를 술술 꺼내는 걸 보아 최근에 생각이 꽤 깊었던 모양이다. 회사 선배들이나 친구들은 좋아하는 일을 찾으려는 자신을 철없다 말하고, 회사에서는 존재감을 드러내지 않고 '나 죽었다' 생각하라고 했단다.
나는 이렇게 살아있는데 왜 죽은 듯이 지내야 하는지 알 수 없다고, 자신의 존재감을 느낄 수 없는 일은 아무리 바빠도 의미가 없는 것이라 생각한다고, 그녀는 말했다.

그 나이쯤 회사원일 때의 내 고민과 같아서 그때의 나와 오버랩이 되었다. 그리고 과거의 나에게 얘기하는 마음으로, 나 또한 그랬다고 말했다. 나를 찾고 싶다고 생각한 어느 날부터 내가 아니어도 되는 일 말고, 내가 나로 존재해야만 할 수 있는 일을 하자. 잘하는 게 뭔지 모르지만 좋아하는 것들을 일단 오늘 하루 동안 해 보자. 그렇게 하루씩 내 방식대로, 매일을 채우다 보니 어느새 직업이 되었고 삶의 방식이 바뀌었다고.
어차피 아무도 내 꿈을 믿어 주지 않으면 나라도 믿어 주어야지. 혹시 그게 틀렸다고 해도 그걸 알고 난 후 돌아간 삶에 집중할 수 있을 테니까. 앞으로 가진 게 더 많아질수록 놓기 힘들어질 테니 언젠가 저지를 마음이라면 조금이라도 어린 지금이 좋겠다.

조금이나마 도움이 될 수 있을까 싶어 나눈 이야기 속에서 잊었던 초심을 떠올리게 되어 오히려 내가 도움을 받은 것 같았다. 그리고 역시나 빛이 났다. 꿈을 물어보는 이의 눈빛은.

고무나무를 보다가

모처럼 미세먼지가 없는 날. 베란다 문을 열다가 나무화분을 보고 깜짝 놀랐다.

이 나무는 작업실을 연 날 친구가 선물해 준 고무나무인데, 유독 쨍한 녹색의 탱탱한 잎을 가졌다. 추운 작업실에서도 변함없이 싱싱했고, 이사할 때 거칠게 다룬 탓에 시들해진 식물들 사이에서도 튼튼했던 나무였다. 크게 신경 쓰지 않아도 3년 동안 사계절 내내 건강하게 푸르렀다.
그런 고무나무가 지난겨울부터 잎이 모조리 갈색으로 변하더니 말라비틀어진 채로 힘없이 떨어졌다. 원래 저 혼자 잘 크던 나무라 갑자기 그렇게 되었을 때 물을 주는 것 말고는 할 수 있는 게 없었다. 그저 죽어 가는 걸 보고 있을 수밖에는. 창밖의 나무들이 한창 꽃 피우던 봄날, 고무나무는 모든 잎이 떨어진 채로 앙상한 나뭇가지만 남기고, 결국 죽었다.
이전에도 키우던 식물이 죽었던 적이 있지만 유독 마음이 쓰였던 이유는 워낙 튼튼했던 나무이기도 하고, 그 즈음에 나의 방관과 잘못으로 인해 시드는 것들과 겹쳐 보였기 때문이다.

나무 하나 시들어 가는 것에도 손 쓸 새 없이 지켜봐야만 하듯, 내게서 시들고 멀어지는 것들도 그냥 바라보는 것 외에 할 수 있는 것이 없다. 모든 시들어 가는 것에 대한 죄책감으로 나무를 봤다. 나무마저 내게 '모두 네 탓이야' 하는 것 같았다. 그래서 차마 죽은 나무를 화분에서 비우지 못하고 눈에 띄지 않는 구석으로 치워 뒀다.

그런데 두 달쯤 지난 오늘, 나무에 핀 작은 새잎을 보고 깜짝 놀란 것이다. 크기는 매우 작은데 탱탱하고 선명한 초록색 잎이 죽은 줄 알았던 나뭇가지 여러 군데에 달려 있다. 시든 것은 다시 피어날 수 없고 한 번 저지른 잘못은 주워 담을 수 없다고 생각했는데 새잎은 내게 다시 기회를 주는 것 같았다.

시들어 가는 것들 중에 이렇게 나의 나무가 다시 핀 것만으로도 감사한 일이다. 그래, 고작 나무일지 모르지만 시든 것도 다시 필 수 있다는 희망을 줬으니까.

"내가 죽은 줄 알고 놀랐구나.
다시 피기 위해 시들기도 해.
잠깐 졌을 뿐, 시든 것이 모두 끝난 건 아니야.
그래, 너도 마찬가지야."

노력의
풍경

여전했다. 망원동 터줏대감 카페 갤러리 원. 몇 년 새에 너무 '핫해진' 동네라 혹여 그새 없어졌을까 걱정했다. 근처에 갈 일이 있어 우연히 지나치게 되었는데 하얀 외관에 놓인 노란 수선화를 보고 여전하네, 하고 안심이 되었다.

오래된 2층 주택의 1층에 자리한 카페는 낡은 모습 그대로,

계절마다 피는 꽃으로 화병을 바꿔 주는 정도로만 소소한 변화를 준다. 그래서 지나가다가도 '아, 벌써 봄이네' 하며 계절을 알 수 있다. 실내로 들어가면 헌책들과 빈티지한 색감의 천들이 안락함을 준다. 카페의 가장 큰 매력은 바로 주인아저씨인데, 희끗한 머리에 얇은 테의 안경을 쓰시고 직접 커피를 내리신다. 요즘에 생기는 카페들보다 메뉴 종류가 많은데 그걸 다 직접 만드시고 메뉴 자부심도 크시다. 속이 안 좋다거나, 잠을 설친다거나, 전날 과음했다고 하면 그때마다 몸에 맞는 차를 다정하게 추천해 주시기도 한다.

작업실을 만들기 전엔 그곳에서 종종 그림을 그리곤 했다. 방해되지 않는 선에서 슬쩍 보시곤 흐뭇한 아빠미소를 짓다가 카페를 나가기 직전에 그림 칭찬을 해 주셨다. 그곳은 갤러리 카페로 무료 대관을 해 줘서 이제 막 시작하는 아티스트들이 부담 없이 전시를 시도해 볼 수도 있다. 아마 그 분은 예술에 굉장한 흥미가 있으신 것 같다.

'망리단길'이라는 호칭을 얻은 망원동에는 감각적인 인테리어와 SNS 인증샷 찍기 좋은 카페가 굉장히 많아졌다.
나는 그런 카페들은 사람이 너무 많거나 시끄러워서, 혹은 다 마시고도 앉아 있기 왠지 눈치가 보여 커피만 얼른 마시고 나오는 일이 잦다. 커피를 사는 건 음료뿐 아니라 자리와 여유도 갖는 거라고 생각한다.

핫 플레이스인 카페에 비하면 포토존도 없이 평범하고 소박하지만 한결같은 친절함과 메뉴와 가격, 스타일로 자리를 지키는 이곳. 혹 치솟는 땅값에도 영향을 받지 않는 건물주일지 모르지만, 그렇다 하더라도 그 좋은 역세권 자리를 이익 창출을 위한 업종으로 바꾸지 않고, 원래 모습을 지켜 가는 일도 대단하다고 생각한다.
예전엔 끊임없이 변하는 것들이 노력의 산물처럼 보였는데, 이제는 온통 변하는 것투성이라 변하지 않고 지켜가는 일이 더 큰 노력이라는 생각이 든다.

아무렇지 않은 평범한 풍경에도 평화를 위한 부단한 노력이 보인다. 낡은 외관에 무심하게 놓인 수선화 화분, 낮잠에 빠진 멍멍이, 염색되지 않은 희끗한 머리에 자상한 미소를 짓는 주인아저씨. 열어 둔 문 사이로 살랑거리는 얼룩 묻은 커튼까지. 하나하나 저마다의 노력으로 일궈 낸 평온한 풍경 하나가 꿋꿋하게 동네의 표정을 지키고 있다. 그건 분명히 대단한 일이고, 우리에겐 고마운 일이다.

숲이

너를

사랑한단다.

네가 흘러가는 물을 사랑하는 동안
한결같은 숲이 너를 사랑한단다.

잠시 반짝하며 스쳐 가고 사라질 것들에
손을 휘젓느라 숲을 보지 못하고 있구나.

얘야, 숲을 보렴.
강렬한 태양과 시린 비를 대신 막아 주고
언제나 같은 자리에서 푸른 숨을 내어 주는 숲.

잡히지 않는 것들은 그만 흘려보내고

고개 돌려 숲을 바라보렴.

너의 숲에게 안기렴.

우연으로 그리는 그림

사람들은 내가 그림을 그릴 때, 미리 스케치를 하지 않고 수채물감으로 바로 그리는 걸 보면 신기해한다. 종이 위에 물을 먼저 칠한 후에 그리는 걸 보면 더 놀란다.

처음에 혼자 수채화를 그릴 때 스케치를 먼저 하고 색을 올

렸는데, 꼼꼼하지 못한 탓에 자꾸만 색이 스케치를 벗어났다. 미리 그어 둔 스케치 선을 벗어나면 흔히들 그림을 '망쳤다'라고 말한다. 특히 수채물감은 물을 많이 쓰기 때문에 번지지 않고 원하는 영역만 정확히 칠해 내는 것이 어렵다. 몇 번을 그렇게 망치고서 역시 성격 급한 나랑은 어울리지 않는다고 생각하고 붓을 내려놓았다.

그런데 다음 날 망쳤던 그림을 보니 물의 번짐이 예쁜 문양으로 남아 있었다. 스케치 선은 벗어나 있었지만 색감과 문양이 예뻐서 망쳤다는 생각이 들지 않았다. 미리 그어 둔 선을 벗어나면 망하는 거라고 정해 놓은 것 역시 편견 아닐까? 그림은 정답이 없는 건데 어떤 기준에서 '틀렸다, 망쳤다'라고 하는 걸까.

20대 후반에 퇴사와 이별을 동시에 경험하며 일반적인 기준선에서 벗어나 혼란스러워 하던 때라 '내 삶이 망친 것이 아니구나!' 하는 위안을 얻었다. 그 후로 스케치를 그리지 않고 물감의 번짐을 이용하여 그리게 되었다.

그냥 종이 위에 그려도 마음대로 그리기 힘든데 물 위에 그리면 얼마나 어려울까 싶지만, 오히려 쉽다. 내가 계획하지 않아도 되고 물의 흐름이 그림을 이끌어 간다. 미리 그어 둔 선도 정해진 계획도 없으니 당연히 망칠 일도 없다.

물 위의 붓 끝이 닿는 순간 물감은 주저 없이 종이 위에 흐드러진다. 그 기세를 보면 영원히 펼쳐 나갈 것 같지만 어느 정도 나아가서 멈춘다. 번짐을 바라보는 것만으로도 마음은 차분해진다. 나중에 알게 된 사실인데 미술심리에는 치유의 목적을 위한 '습식수채화'라는 것이 있다. 종이 위에 물을 칠하고 물감을 떨어트리거나 칠하는 등 비슷한 방법이었다. 나도 모르게 자가치유를 한 셈이다. 스케치 없이 물 위를 그림 그릴 때는 이것만 생각하면 된다.

우연과 우연이 겹쳐 만들어 나가는 순간을 지켜보고 받아들이는 여유와 목적보다 그려 나가는 과정 자체를 즐기는 마음이다.

사랑하는
순간을
믿다

3년여 만에 연애를 시작한 친구는 그새 표정이 활짝 피었다. 누가 봐도 '연애중'이라고 얼굴에 쓰여 있을 만큼 참 환한데도 친구는 비집고 나오는 설렘을 애써 누르며 덤덤하게 얘기했다.

서른이 훌쩍 넘은 나이에 나타난 그녀의 애인은 다섯 살 연하인데다가 이제 막 사회초년생이라, 주위 사람들은 언제 키워서 언제 결혼하겠냐며 축하보다는 걱정 섞인 잔소리부터 했다고 한다. 심지어 종교가 달라 서로의 부모님도 둘의 연애를 탐탁치 않아 하셔서 결혼을 생각하면 캄캄하다고. 서로 좋으니 일단 연애만 하고 결혼 생각은 아직 없다고 하자 그럼 결혼도 안 할 거 뭣하러 만나냐는 핀잔이 돌아왔다고 한다. 그래서인지 내게도 조심스럽게 소식을 알리는 것 같았다.

하지만 나는 친구의 연애 소식이 기뻤다. 그동안 오래 솔로로 있으면서도 쉽게 누굴 만나거나 사랑에 빠지지 않았던 그녀다. 그렇게 오랜만에 마음이 끌리는 사람을 만났고, 상대도 같은 마음으로 서로 사랑하고 있으니 그것만으로도 얼마나 축복인가.

사실 결혼적령기라고 부르는 나이대에, 흔히 말하는 조건 좋은 사람을 만나는 것보다 결혼까지 생각할 만큼 마음이 동하는 사람을 만나는 것이 더 힘들다. 당장 결혼해도 좋을 조건을 갖춘 남자에게도 마음이 끌리지 않으면 소용이 없는 것. 심지어 결혼까지 생각하고 만나도 도중에 헤어지는 일이 부지기수인데 결말을 미리 생각하고 만남을 이어 갈지 말지 정하는 건 무의미한 것 같다. 그럼, 결말이 보이지 않는다고, 피어나는 감정을 마음대로 꼬깃꼬깃 접어서 버릴 수 있나? 물론 결혼을 생각하면 어려운 문제이지만, 그걸 굳이 지금 고민하지 않아도 된다고 생각한다.

서로 이렇게 좋아하는데 나중에 다가올 어려움 앞에서 멈추면 인연은 거기까지인 거고, 서로의 마음이 장애물보다 커지면 함께 넘어설 수도 있는 일. 사랑이란 결혼이라는 결말이 아니라 서로 설레며 함께하는 순간 하나하나가 황홀한 목적인 걸. 지금까지 본 것 중에 가장 환하고 사랑스러운 얼굴을 한 친구와 한참 수다를 하고 돌아오는 길에 문자를 보냈다.

아직 일어나지 않은 미래에 대한 불안으로
너의 사랑을 멈추지 않길 바랄게.
서로 마음을 맞추어 손을 잡은 이 순간,

그것만으로도 얼마나 황홀하니.

사랑하는 이 순간의 둘을 더 믿어 주길.

친구에게 답이 왔다.

사실 이 만남을 멈출 생각 없었다고.

단지 그 얘기가 필요했다고.

꽃이
시들기
전에

'당장 이것만 끝내고, 여기까지만 해내고. 아무 고민도 갈등도 없을 때 하고 싶은 것을 하자'라고 하기엔 그것을 막을 뭔가가 계속해서 나타나.

삶은 우리에게 온전하게 즐길 행복의 시간을 따로 마련해 주지 않아. 우리는 완벽하지 않은 상황 안에서도 틈틈이 즐기고 행복할 줄 알아야 해.

자, 꽃이 시들기 전에 나가자.

가장

어려운

것은。

늘 그 자리에 있는 것.

당연해 보여도 실로 엄청난 노력이 필요한 일.

불어오는 태풍에 몸을 웅크리고

발바닥이 나무뿌리인 양 힘을 주어 버티는 것.

눈앞을 황홀하게 비추는 불빛에도 홀리지 않고

지켜야 할 것들을 떠올리며 눈을 감는 것.

하지만 그토록 버티는 노력들을

겉으로 보이지 않게 하는 일.

엄마, 아빠라고 불리는 그 평범한 이름들이

해내는 영웅 같은 일.

저녁의 풍경

소복이 쌓인 구름이 드리우자, 작은 항구엔 어스름이 짙어진다. 이우는 붉은 빛과 찬 빛이 만나 묘한 보라색을 만들어 내며 신기한 분위기가 감돈다. 왼쪽 길엔 맛깔스러운 새우튀김집이 쭉 줄을 잇는데도 불구하고 걸음을 멈춰 하늘을 바라보게 한다. 시끄럽고 간판 많은 항구라 분위기랑은 거리가 먼데, 바다와 하늘은 어디서든 마법 같은 풍경을 만들어낸다.

'마법 같다'라는 표현은 비단 풍경에만 쓰이는 것은 아니다. 사람들의 바쁜 발걸음이 느려지는 것, 고개 들 새 없이 오징어를 튀기던 아주머니께서 집게를 내려놓고 휴대폰으로 하늘 사진을 담는 것, 녹슨 자전거를 타고 앞만 보고 가던 할아버지가 자전거에서 한 발 내딛은 채 한참이나 바다를 바라보다 가는 것.

도시에서 온 우리 같은 관광객들이야 그럴 수 있다만 오랜 주민인 그들에게도 질리지 않게 어여쁜 모양이다. 그런 모습이 참 좋았다. 어두워지기 전 짧은 순간의 빛을 바라볼 수 있는 여유와 아름답다고 느끼는 감성이야말로 일상을 찬란하게 해주는 마법일지 모른다.

황홀한 노을빛은 금세 사라지고 항구에 어둠이 내려앉자, 노점상들의 불들이 환해지며 활기가 돌았다. 바다 위 조명들도 그제야 제 빛을 물결에 비추며 길게 울 수 있었다. 어둠이 오는 것이 꼭 무섭고 캄캄한 일만은 아니었다. 지는 해가 끝을 의미하는 것도 아니었다. 그것은 시작이고, 활기이자 따뜻함이기도 했다.

잠시
머무르는
그을음

한낮, 그늘이 없는 뜨거운 태양 아래에 서 있어서 살이 탄 것 뿐이야. 화끈거리고 따가운 통증이 아프고 신경 쓰이겠지만 너무 걱정하지 않아도 돼.

네가 정말로 까맣게 타 버린 게 아니니까.

태양이 그을린 건 겨우 살갗의 얇고 얇은 표피일 뿐, 너의 내면은 여전히 하얗고 깨끗해.

살갗에 잠시 머무르는 그을음으로 마음까지 애태우지 말자.

내일은
울게 될지라도
지금은 행복해

일요일 늦은 아침, 바깥 공기는 찬데 창가로 들어오는 볕은 봄처럼 따뜻했다. 아직 덜 깬 정신으로 침대에서 소파로 몸을 이동했다. 따뜻한 볕이 공간을 환히 비춘다.
창밖을 바라보니 초록색이었던 큰 나무가 어느새 주황색 옷으로 갈아입고, 가을빛에 반짝반짝 빛나고 있다. 언제 저렇게 색이 다 바뀐 거지. 매번 나무의 부지런함에 놀란다.

노래를 틀었다. 노래를 듣기 더할 나위 없이 좋은 계절. 노래의 멜로디와 가사 하나하나가 몸에 흡수되는 것 같다. 이럴 때 보면 노래는 귀가 아니라 온 세포로 듣는 기분이 든다.
나의 늙고 하얀 고양이도 졸린 눈으로 느릿느릿 걸어와 내 옆에 웅크린 채로 잠을 잇는다. 나는 눈을 감은 채로 왼손으로 고양이를 쓰다듬으며 노래를 들었다. 따뜻하고 부드럽다. 손의 촉감뿐 아니라 이 공기가. 행복하다. 감히 행복하다고 말해야겠다.

나는 행복이란 것을 아주 특별하고 거창한 것이라고 생각해 왔다. 행복과 불행은 함께 공존할 수 없는 정반대의 단어들이었다. 마음을 누르는 고민이나 침울해지는 한숨이 없는 상태, 즉 만족과 기쁨만이 100퍼센트일 때 행복이라고 여겼다. 행복한 상태일 땐 행복만을 말하고 보여 주어야 하고, 불행하다고 여길 땐 우울한 노래만 들어야 하며 웃음마저 가식이라고 생각했다.
사랑도 마찬가지다. 사랑은 마음을 설레게 만들고 늘 서로를 필요로 하는 것. 그래서 조금의 지루함이나 권태가 있으면 그건 사랑이 아니라고 생각하여 편안해진 사랑을 의심하기도 했다.

언제부터인지 모르겠지만 그건 내가 오랫동안 갖고 있는 편견이었음을 조금씩 깨닫는 중이다. 100퍼센트라고 느꼈던 완벽한 행복의 순간에 대해 떠올려 본다.
불순물은 전혀 없이 만족스러운 상태, 그래서 영원히 담아 두고 싶었던 순간을.
분명히 있었다 하더라도 그건 일상이 아니라 이벤트 같은 순간이기에 더욱 소중히 기억하는 것이다. 마냥 행복하기만 한 것 같았던 그때의 일기를 보면 나름의 고충은 다 있었다.
무드셀라 증후군(추억을 아름답게 포장하거나 나쁜 기억은 지우고 좋은 기억만 남기려는 심리)처럼 추억이란 이름으로 미화되었을 뿐.

가장 불행했다고 기억하는 시기도 떠올려 보면, 누군가에게 위로받고 실컷 웃고 춤추던 시간도 있었다. 행복이란 단어와 상관없는 시기인 것 같아도 그 안에 작게 존재했다.
기쁘고 행복한 날들 속에도 한숨과 고민의 자리가, 우울하던 날들에도 나를 웃게 하고 힘을 실어 주는 행복의 순간이 있었다는 얘기다.
먹먹한 마음으로 우울한 밤을 보냈다 하더라도 아침에 작은 평온함과 만족을 느꼈다면 그 순간은 행복이다. 저녁에는 다시 울게 될지라도. 행복과 불행은 하루에도 여러 번 느낄 수 있을 만큼 거창하지 않은 감정이고, 함께 존재할 수 있다.
행복이 멀리에 있는 목표가 아니라 순간순간이라는 것을 알고 나면 우리는 좀 더 자주 행복이란 말을 꺼낼 수 있고, 소소한 기쁨을 더 많이 마주할 수 있다. 그러므로 나는 지금 행복하다.

나를 지탱하는 버팀줄

떠나는 여행지마다 여유롭고 아름다운 풍경 때문에 '이곳에서 살면 얼마나 좋을까' 하고 생각한다. 그렇지만 무거운 캐리어를 끌며 남은 체력을 걸음 하나하나에 겨우 실어 집으로 도착했을 때, 샤워하고 침대에 온몸을 던졌을 때, 무사히 잘 돌아왔다는 안도감이 밀려든다.

'역시 세계에서 가장 편한 곳은 집이구나' 하고 깨달으면서.

어디에도 얽매이지 않고 방랑하는 집시처럼 살고 싶다는 꿈을 꾼 적 있다. 하지만 낯선 곳에서의 여행을 온전히 즐길 수 있는 건 돌아갈 곳이 있기 때문인지 모른다. 나를 묶어 주는 이 줄이 평소엔 나를 제한하고 가둬 놓는 구속으로 느껴질 수도 있지만 낯선 곳으로 멀리 떠나왔을 때 그것은 나를 지탱해 주는 구심점이 된다.
나를 기다리는 곳이 있으니 무사히 돌아가야 한다는 마음은 망망대해 한가운데에서도 씩씩한 자신감을 주고, 절망스러운 상황에서도 스스로를 최악까지 빠뜨리지 않게 한다.

열어 둔 문, 돌아갈 장소, 그리운 품이 있다는 것이 얼마나 큰 축복인지.
떠나오는 순간부터 내딛는 발걸음마다 힘을 실어 주는 걸.

버리는 것이 최선일 때

원두커피를 내려 마실 수 있는 종이필터를 샀다. 지인에게 선물 받은 원두커피 가루가 있었는데 필터가 없어서 먹지 못하고 있었다. 필터야 동네 슈퍼에서도 다 파는 건데 그걸 꼭 생각지도 못하고 마시고 싶을 때 '아, 맞다, 필터!' 하고 뒤늦게 떠올린다. 참 사소한 것도 신경 쓰지 못하면 어려운 일이 되는 것 같다.

컵에 종이필터를 끼우고 찬장 안쪽에 깊숙이 있던 원두커피 가루를 꺼냈다. 포장지부터 고급스럽다. 유럽에서만 살 수 있는 귀한 커피란 말이 기억난다. 드디어 개시를 한다는 들뜬 마음으로 포장지를 뜯고 입구를 여는데, 입구 쪽에 쓰인 숫자가 눈에 들어온다. 유통기한이었다. 2016년 10월까지이니 거의 1년 가까이 지난 것이다. 벌써 그렇게 되었나 생각해 보니 내가 이걸 선물로 받은 지도 1년이 훌쩍 넘었다.

유통기한이 무색하게 살짝 벌어진 틈으로 향긋한 커피 향이 났다. 귀한 커피란 말이 다시 맴돌며 아쉬움은 더 커졌다. 언젠가는 종이필터만 있고 원두커피 가루가 없어서 쓰지 못했던 적도 있는데 필터와 원두커피 가루는 이렇게 또 어긋났다.

아주 향이 좋은 커피, 맛이 훌륭한 커피, 인생 커피가 될 수도 있었는데 때를 맞추지 못한 이유로, 아무것도 되지 못한 채 그저 쓰레기가 되어야 한다. 기껏 사온 커피 종이필터는 이번에도 사용되지 못하고 기다려야 한다.

아무리 좋은 것이 내게 와도 때를 놓치면 쓸모없는 것이 되는구나.
어떤 것은 너무 일찍 와 얼마나 기다려야 할지도 모를 아득한 시간을 견디지 못했고, 어떤 것은 너무 늦게 와 버려서 제 역할도 다 못한 채 버려지기도 한다.
이렇게 귀한 것인데도 결국 버려져야 하는 최악을 맞이하는 것이 못내 아쉬워 버리지 않는 방법을 고민해 보다가 결국, 버리기로 한다.

버리는 것이 최악이지만 최선일 수밖에 없는 일.
인정하긴 힘들지만, 살다 보면 어쩔 수 없는 것들이 있다.

눈
꽃。

한겨울에 산을 오르면
나뭇가지마다 하얀 빛이 영롱하게 빛난다.
곧 녹아 사라질 눈도 나뭇가지에 내려앉아 꽃이라 불린다.

눈꽃.
그것은 꽃보다 훨씬 작은 크기의 결정체이지만
산머리 하나를 다 덮는다.
그것은 그저 얼음 조각인 것 같지만
섬세하게 세공된 보석처럼 빛난다.
그것은 금세 물이 되어 흘러내릴 것 같지만
긴 겨울 동안 단단히 얼어 한껏 만개하고,
한 달도 안 돼 지는 벚꽃보다 더 오래 머문다.
그것은 아무것도 아닌 것 같지만
혹독한 추위로 피어나 한 계절을 한껏 장식하는 꽃 중의 꽃이다.

아쉬운 건
언제나
사라지는 쪽이니까

놓쳐 버린 풍선이 하늘 높이 사라질 때까지 바라본 적이 있다.
다른 손에 쥐고 있는 아이스크림이 녹아내리는 줄도 모르고.

풍선 자체가 나에게 대단히 소중했던 건 아니었다.
애초에 손에 쥐지 않았거나, 집까지 무사히 가져와 방 한 구석에서 바람이 빠졌더라면 그토록 아깝진 않았을 것이다. 내 손에서 사라지는 '어떤 것'보다 '사라지는 현상'이 아쉬운 거.

어떤 순간이든, 인연이든, 물건이나 기회든 잠시 내 것이었다가 사라지는 것에 집중하느라 내게 주어진 현재, 남아 있는 내 사람들, 소유하고 있는 것들을 쉽게 잊을 때가 있다. 아쉬운 건 언제나 사라지는 쪽이니까.

하늘로 올라간 풍선이 다시 돌아올 리 없다.
사라지는 건 사라지는 대로 그대로 두어야 한다.
아깝고 허무하더라도 시선을 돌려야 하는 일.
그럼에도 아직 내게 남아 있는 것, 누릴 수 있는 것에게.

분명하게

남아 있는

건

—

우리가 하는 일들이

그저 눈사람을 쌓아 올리는 일이라고 해도 말이야.

녹아 사라지는 것이 꼭 허망한 일만은 아닐 거야.

눈사람을 만드는 동안 우리에게 남는 것이 있을 테니까.

호호 손을 불어 가며 꾹꾹 눈을 뭉치고,

크게 굴려 갈 때의 기대와 설렘, 천진한 웃음,

차가운 촉감과 뜨거운 입김도 함께 들어 있잖아.

눈사람은 형체도 없이 녹아 버린다고 해도,

그 기억은 분명하게 남아 있을 거야.

시간이 흘러 떠올려 보았을 때 희미하게 미소 짓게 하는 건,

얼마나 멋진 눈사람을 만들어냈는지도,

얼마나 오래 녹지 않았는지도 아닌

그것을 만들던 추억인걸.

삶은
단 한 편의
영화가 아니다

드라마나 영화처럼 기승전결이 있어 아무리 큰 역경이 와도 자연스럽게 풀리는 결말이 이어지면 좋겠지만, 삶에는 풀리지 않은 상태로 급히 끝내야 하는 상황도 있다.

억지스럽게 얼른 닫아야 하는 결말.

삶은 단 한 번뿐이라, 기승전결에서 '승'이나 '전' 부분을 잘 풀어내지 못하면 삶 전체를 망쳤다고 생각하기 쉽다. 하지만 삶은 단 한 편의 영화가 아니다. 삶의 마디가 독립적으로 존재하여 끊어지기도 하고, 끝났다가 다시 시작할 수도 있다. 장르가 다른 영화를 여러 번 찍듯이 삶을 여러 번 나눌 수도 있다는 말이다.

감당할 수 없는 것이 감당할 수 없는 채로 계속 이어지면, 그리하여 앞에 놓인 생마저 까마득하게 느껴진다면, 내려놓는 일도 필요하다. 스스로 영화감독이 되어 '여기서 컷!' 하고 멈춘 뒤에 다시 찍는 것과 같이.

책임감 없이 도망친다는 비난이 따를지 모르지만 스스로 결말을 내는 것도 커다란 용기임에 틀림없다. 놓을 수 있는 용기, 포기할 수 있는 용기. 그것은 처음부터 다시 시작할 수 있는 용기와도 같다. 순간의 절망에는 비겁할지언정 앞으로 남은 많은 날들을 지키는 방법이 된다. 내려놓고 잊자. 다시 시작해도 괜찮을 만큼 여러 편의 삶이 남아 있다.

마음 청소

제때 전하지 못한 말들은

마음 한편에 쌓여 상하기 마련이다.

정리해야 할 때를 놓치고 방치해 둔 마음은

오래된 냉장고 안 썩은 음식물처럼 퀴퀴하다.

스스로도 마주하기에 불쾌해서
문을 열어 볼 자신도 없지만,
이제 정리를 해야 한다.

상해서 썩어 버린 마음은
다른 마음까지 오염시킬 수 있고
애써 만든 새로운 마음이 들어올 자리가 없을 테니
과감히 버릴 줄도 알아야 한다.

그렇게 버리고 나면,
활짝 환기를 시키고 깨끗하게 닦아 내자.
언제부터 있었는지도 모를 찐득찐득한 얼룩들을.

계절은
선명하게 돌아오고
마음은
흐릿하게 바래진다

여름의 끝물, 저녁 공기의 서늘함이 마음을 관통할 때, 덜컥 겁이 났다. 공기와 바람, 향기가 지난 가을의 마음을 고스란히 데리고 왔기 때문이다.

기나긴 폭염 속에서 서늘해진 온도가 반가울 법도 하지만, 1년 동안 잊힌 것 하나 없이 같은 마음으로 가을을 맞는다는 것이 부끄럽다. 나는 가을에 도달하는 것을 미루기 위해 여름으로 도망치듯 일본의 따뜻한 섬, 쨍하게 더운 베트남으로 여행을 했다. 타지에서 여름을 연명하고 한국으로 돌아왔을 때, 완연한 가을과 마주할 수밖에 없었다. 시간을 피할 수 없듯 계절을 미룰 수 없다는 걸 알면서.

언젠가 이런 식으로 매해 돌아오는 어떤 계절을 두려워한 적이 있지 않았나, 하고 생각해 보았다. 오래 전 봄에 힘든 이별을 겪은 뒤, 가장 좋아하는 계절이 봄이었음에도 불구하고 피어나는 꽃마저 두려워한 적이 있다. 지난 계절에 겪은 마음이 그대로 재현되어 감정의 반복을 견뎌야 했기 때문이다.

하지만 지금은 봄이 오는 것을 두려워하지는 않는다. 이젠 봄의 달콤한 공기가 좋고 피어나는 꽃들이 황홀해 다시 기다리는 계절이 되었다. 마음이 어지러운 계절에서 황홀한 계절이 되기까지 시간이 얼마나 걸렸는지 알 수 없지만 분명한 건,

이제 봄이 아프지 않다는 것이다. 그렇게 생각하니, 가을을 맞는 것이 두렵지 않았다.

이번 가을은 마음이 불편할지 모르나, 다음 가을엔 괜찮을 수도 있다. 순환하는 계절 속에서 잊고 싶은 감정이 계속 떠오르겠지만, 계절은 선명하게 돌아오고 마음은 흐릿하게 바래진다. 마주할 수밖에 없는 계절이 돌아올 때마다 외면했던 마음을 대면하고 언젠가는 덤덤해지는 것이다. 시간이 지나면 괜찮아진다고 하지만, 우리는 흘러가는 시간이 아니라 매번 돌아오는 계절을 겪으며 성장하는 것인지 모른다.

지는
일까지
꽃의 역할이더라

지난 가을과 겨울에는 그저 철창이 있던 회색 벽에 장미가 가득해. 봄에 꽃이 조금씩 피기 시작하더니 한 달여 만에 가득 덮였어. 지나가던 사람들이 걸음을 멈추고 '우와, 우와' 감탄하며 연신 사진을 찍는 통에 평범한 길이 핫한 포토존이 되었지. 그런데 벌써 바닥에도 가득한 꽃잎을 보니 곧 지는 일만

남았겠더라.

있잖아, 아무것도 없는 회색 벽에서 꽃을 피우는 것이 우리의 할 일이라고 여기고 그것에만 집중하지 않았나 싶어.
모두가 그렇게 말하지. 나 역시 피는 것만이 아름답고 영광스러운 일이라고 생각했고 힘겹게 꽃 피운 만큼 그 상태 그대로 지속되는 줄 알았어. 꽃이 만개하여 공기까지 붉게 물들일 때, 이보다 바랄 것 없을 만큼 아름다운 절정의 순간. 그것을 해피엔딩이라 하고 책을 덮어도 된다면 어떻게든 피어나기만 하면 될 텐데, 삶이 그렇지가 않잖아.

이제 보니 지는 일까지 꽃의 역할이더라. 꽃을 피우는 일만큼이나 지는 일도 중요한 것 같아. 오히려 훨씬 힘들겠지. 지는 건 누구도 축하해 주지 않으니까. 한창일 때 몰렸던 관심과 칭찬이 더 이상 자기 것이 아닐뿐더러 그곳에 꽃이 피었는지 기억도 못 할 회색 벽으로 돌아가는 일은 못내 서글프고 쓸쓸할 테니까. 하지만 지는 일까지 잘해야 다시 돌아오는 계절에

필 수 있겠지.

싹을 틔우고 꽃봉오리를 피워 만개하고 흩날리며 지는 일. 이렇게 하나의 과정을 인생에 빗대어 표현하는데, 나는 이 과정이 인생 전체의 흐름이 아니라는 생각이 들어.
삶의 마디가 한 달, 1년, 혹은 5년, 10년 등 사람마다 다른 주기로 자잘하게 나눠져 있어서 그 안에서 피고 지고, 다시 피고 지는 일이 반복되는 건지도 몰라.

앞으로도 수없이 많은 계절이 오고 갈 테니 한창 피어 있다고 자만해서도 안 되고, 갑자기 진다고 모든 게 끝인 것처럼 절망해서도 안 되는 거였어.

그러니까 우리, 꽃 피운 순간을 감사하고 지는 것에 부끄러워하지 말자. 지는 일까지 잘 해내고 다시 필 계절을 맞이하자.

생의 무늬

수많은 순간들이 엮여 일상을 잇고 삶을 짜 나가는 것이라고 생각한다. 따뜻하게 반짝이는 순간으로만 만든다면 얼마나 매끄럽고 고울까. 하지만 흐릿하고 불분명해서 내 것 같지 않은 순간, 화끈거리는 상처로 남은 순간, 먹먹함으로 습기 가득했던 순간, 없었으면 더 좋았을 순간까지 남는 것이었다.

한때는 그것들이 내 삶의 일부로 남은 것이 불편하고 창피해서 도려내고 싶었다. 그런 건 내 것, 내 삶이 아니라고 얼마나 부정하고 갈등했던가. 조금 더 멀리, 넓게 삶을 바라보니 그런 모든 순간들이 얽히고 섞여서 생의 무늬가 되었음을 알 수 있었다. 매끄럽고 곱지 못하더라도 내가 숨 쉬고 부딪치며 생생하게 살아왔다는 표식이 되는 나만의 무늬. 그렇게 지금도 무늬를 만들어 가는 중이다.

호
시 절

'호시절'이라는 건, 온통 행복으로만 빛나는 날이나 선물 같은 행운이 찾아온 날만을 뜻하는 것은 아니다. 먼 곳에서 희미한 불빛이 켜지듯 밝아지는 기억이나, 찬바람 사이 불쑥불쑥 불어오는 추억은 '고작 그저 그런' 일상의 것들이 많다.

아빠의 기타 소리가 낮잠을 방해하던 오후, 엄마랑 방바닥에 엎드려 나중에 살고 싶은 집을 달력 뒷장에 그리던 일, 라면 한 젓가락 때문에 동생과 싸운 일, 친구와 떡볶이를 먹다 흘려 깔깔대던 일.
어릴 적, 우리 가족은 지금보다 더, 행복하고 안정적으로 살기 위해 일상에서 먼 곳만을 바라봤다. 언젠가 좋은 때가 오면 우리의 진짜 삶이 시작될 거라고 막연히 기대했다.
시간이 이렇게 흘러 뿔뿔이 떨어진 지금, '겨우 그런' 순간들을 떠올리고 그리워할 거라고 예상이나 했을까. 남루하다 생각한 시간이 따뜻한 유년의 기억으로 남을 줄 알았을까. 행복은 먼 신기루가 아니라 눈앞의 순간순간이었는데.

아무 색깔도, 향기도 없이 단조로운 일상은 무의미해 보이지만, 지나고 나면 지금 이 시간들이 쓰다듬고 싶은 순간일지도 모른다.
좋은 때. 호시절은 지금이다.

계절에게 인사를

모든 순간이 과정이고 쉼표다

봄, 여름, 가을, 겨울.

겨울은 사계절 중 가장 뒤에 불리어서

쉼표가 아닌 마침표가 찍히지.

'생성과 소멸, 일출과 일몰, 사랑과 이별, 피었다 졌다'

같은 것들도 그러해.

순서 때문일까.

피어나는 모든 것은 시작이고, 사라지는 모든 것을

결말로 오해하는 이유.

자꾸만 사라지는 것에 초점을 맞춰 두려워하지.

사라지는 과정을 지나 다시 피어나는 일이
매번 반복되는데도 말이야.

살아있는 동안은 어떤 순간도 결말일 수 없어,
모든 순간이 과정이야.

캄캄한 어둠도, 단단한 얼음과 혹독한 칼바람도
다음 눈부심을 준비하는 과정이라는 걸 이제는 알아.
봄, 여름, 가을, 겨울 다음은 마침표가 아니라 쉼표라는 걸.

겨울,
그리고
봄.

작가의 말

곧 사라질 순간들을 쓰다듬다

'아, 나의 여름이 끝났구나' 하는 생각이 들던 시기, 갑자기 불어오는 서늘한 바람에 오래된 기억들이 아무렇게나 흩날리며 마음을 어지럽혔다. 그것들을 움켜쥐고 싶었지만 내 손은 허공을 헤집기만 할 뿐이었다. 나는 흩날리는 기억들을 붙잡으려 글을 써 내려갔다 .

내가 그리워하는 순간은, 가장 반짝였지만 한편으론 칠흑같이 어둡던 날들. 파도처럼 넘실대던 한여름 같은 시기. 그때는 그날의 반짝임을, 소중함을 알지 못했다. 시야가 너무 가까우면 물체를 볼 수 없듯이 대부분의 것들은 사라진 후에야 보인다.

'그리움의 필터'를 장착하고 지나간 것들을 돌이켜보면 힘든 순간마저 아련하다.
내게서 멀어져가는 것들의 뒷모습을 바라본다. 오래도록 바라보고 있자니, 내게 남긴 이야기가 이제야 들리기 시작한다.

사라져 버려 아쉬운 순간들을 붙잡으려 시작한 글은, 어느새 그것들을 보낼 수 있게 해 주었다. 나는 이 책을 쓰면서 삶의 마디 하나를 스스로 넘게 되었다.
결국엔 애틋한 그리움으로 남게 된다는 것을 알게 된 지금, 할 수 있는 건 곧 사라질 순간 하나하나를 쓰다듬는 일.
이제 그것들을 입 맞추며 보낼 수밖에.

쓰다듬고 싶은
모든 순간